Le Festival sous les étoiles

The Festival *under the stars*

textes | *texts*
Jean-François Gayrard

préface | *foreword*
Oliver Jones

CIGARETTES
DEPANNE
BIERE · CIDRE
ST-DENIS
BIERE VIN
Belvedere

Site du Festival, Quartier latin, rue St-Denis angle Emery, 1982

Première prestation d'Ella Fitzgerald au Festival, 1983
Théâtre St-Denis

DATE 5-7-83

ƀJECT JAZZ/ théâtre St Denis

CHNICAL DATA

Ray Charles, celui qui a ouvert le
premier Festival à la Place des Nations en 1980

1983, Théâtre St-Denis

SPECTRU
SUZANNE VEGA
JUILLET 2
9ETIO
MICHEL JONAS
GOWAN
AOUT 3
Spectrum
Belvedere

Le Spectrum de Montréal en 1984,
la salle mythique, aujourd'hui disparue

Rencontre au sommet entre Oscar Peterson et Oliver Jones, 2004
Salle Wilfrid-Pelletier de la Place des Arts

Grand événement — Soleil de minuit : 25 ans du Festival et 20 ans du Cirque du Soleil, 2004
Site du Festival

1-Daniella Mercury 2- Élise Velle 3- Youssou N'Dour 4- Francesca Gagnon 5- Jorane

Devanture du Club Soda, 2007
Club Soda

Kid Koala, 2007
Club Soda

2007, Salle Wilfrid-Pelletier de la Place des Arts

préface par *foreword by* Oliver **Jones**

On croirait que c'était hier, alors que 30 années ont déjà passé depuis la vision de rêve de deux jeunes hommes : donner à leur merveilleuse ville un événement des plus nécessaire, un événement qui aurait des répercussions sur tant de gens... Personne n'aurait alors pu prédire l'ampleur que prendrait le Festival International de Jazz de Montréal, l'effet qu'il exercerait autant sur la métropole que sur ses habitants, sur les musiciens, les commerçants, voire sur la province entière. Ou mieux encore, prédire cet immense sentiment de fierté qu'a suscité cet événement. Un festival estival apprécié à longueur d'année... et dont on s'enquiert de la programmation dès janvier !

Que l'on assiste aux concerts des incontournables comme Charlie Haden ou Herbie Hancock, ou ceux de jeunes artistes si prometteurs, l'excitation et le plaisir sont toujours présents. C'est aussi l'occasion pour nos meilleurs talents locaux de se faire valoir sur scène, fiers de pouvoir, formidables prestations à l'appui, démontrer de quoi ils sont capables.

Mais rien de cela n'aurait été ni ne serait possible sans l'énorme travail, chaque année renouvelé, de toute une équipe, des deux créateurs visionnaires, Alain Simard et André Ménard, jusqu'aux balayeurs qui veulent bien nous ramasser après notre passage. Du placier des salles aux mar-chands des kiosques, tous les employés participent au succès de ce grand événement, contribuant à cette incroyable ambiance qui perdure dans nos mémoires jusqu'aux froids mois d'hiver. Merci à tous ces gens pour leur travail, ceux de l'époque, comme David Jobin, Caroline Jamet, Alain Degrosbois, et Michèle Neveu, à ceux qui sont encore là, comme Johanne Bougie Denyse McCann, Jacques-André Dupont, Luc Châtelain et Laurent Saulnier, ainsi qu'à tous ceux que je ne peux nommer ici. Merci, merci et merci encore pour votre vision et votre amour de cette musique.

Et rappelez-vous : lorsque vous vous promènerez dans la foule, un soir de juillet, parmi les bruits et les rires qui fusent de tous côtés, parmi les enfants qui rient avec les clowns, les couples qui se balancent au rythme d'un *stage band* d'école, un peu nerveux de cette première chance — mais non la dernière ! — de jouer devant public, rappelez-vous de chercher du regard ce vieil homme. Un vieil homme avec des étincelles dans les yeux, l'air fier, anticipant déjà la prochaine édition. Ce vieil homme, ce sera moi, bien sûr. Je vous souhaite encore trois belles autres décennies !

Merci pour votre appui tout au long de ma carrière.

It seems like such a short time ago, but some thirty years have passed since two young men had a dream, a passion: to bring a much needed event to this wonderful city—an event that would touch the lives of so many. We cannot say that any of us had anticipated the huge impact the Festival International de Jazz de Montréal would have on this city, on its people, its musicians, its store owners, on the province as a whole. Most importantly, it has built up A SENSE OF PRIDE. Yes, this has become the event to look forward to all year round. The anticipation begins as early as January, when people start inquiring about who will return to perform this year.

Regardless of whether we are watching perennial favourites like Charlie Haden or Herbie Hancock, or that new young artist who is sure to impress everyone, the thrill and excitement remains. Of course, we can always look forward to listening to the very best of our own local talents, who always rise to the occasion with tremendous performances, driven by the knowledge that, finally, this is their time to shine.

None of this would be possible without the tremendous staff and team that work every year: from the two visionary creators, Alain Simard and André Ménard, to the man who sweeps up after us. The ushers, the vendors, the entire staff become part of this great event, creating a beautiful, pleasant happy ambience that will stay with you all through the weary winter months. Thanks to everyone for their hard work, from those who've moved on, David Jobin, Caroline Jamet, Alain Degrosbois and Michèle Neveu, to those who remain on the team, including Laurent Saulnier and Johanne Bougie, as well as all those I haven't space to mention here. Thank you, thank you, and thank you, for your vision, and your love for this great music. And remember, while you are going through the crowd on this busy July evening, the sounds and laughter escaping from all sides and stage doors, where children are smiling and enjoying the clowns, couples are swaying to the beat of a nervous high school group making their first but hopefully not their last appearance: watch for the OLD MAN with the twinkle in his eye, the proud look on his face, already anticipating next year. THAT OLD MAN WILL BE ME. Have another great 30 years!

Thank you for all the help you've offered me in my career

Éditeur
Jean-François Gayrard

Direction artistique/design graphique/texte de la couverture
Vincent Croteau

Recherches
Vincent Croteau, Jean-François Gayrard

Textes
Jean-François Gayrard

Révision/correction
Luc Granger

Photographes (crédits complets page 144)
Denis Alix, Victor Diaz Lamich, Jean-François Leblanc, Caroline Hayeur, Robert Etchevery, Linda Rutenberg, Suzy Lapointe, Jan-Henri Thijs, Marlène Gélineau-Payette

Impression
Norecob

Distribution
DLM

ISBN : 978-2-9806407-1-1

Merci pour leur précieuse collaboration à :
Johanne Bougie, Nathalie Carrière, François Guay, Oliver Jones, Maryse Landry, André Ménard, Laurent Saulnier, Alain Simard

Le Festival International de Jazz de Montréal est une société sans but lucratif créée par L'Équipe Spectra dont toutes les transactions sont régies par un code d'éthique rigoureux approuvé par le gouvernement.

The Festival International de Jazz de Montréal is a non-profit corporation whose transactions with L'Équipe Spectra have been regulated since the beginning by a strict ethical code.

Le Festival tient à remercier les partenaires publics et privés associés pour leur apport année après année à la réussite de cette grande fête du jazz. Sans eux, la tenue de l'événement serait impossible.
The Festival thanks all public and private partners for the support they offer year after year in staging this great celebration of jazz. Without them, this event would not be possible.

Partenaires privés
General Motors du Canada, commanditaire principal et présentateur officiel de l'événement
Rio Tinto Alcan, coprésentateur de l'événement
Bell Canada, Loto-Québec, TD Canada Trust, Société des alcools du Québec, Best Buy, Heineken, commanditaires officiels
Fournisseurs officiels : Hyatt Regency Montréal (hôtel officiel du Festival), Complexe Desjardins, XM Radio Satellite, Galaxie, le réseau de musique continue de Radio-Canada, Häagen-Dazs, Fromages CDA inc., Jura, Amarula, Universal Music Canada, L'eau de source naturelleESKA, Pepsi

Partenaires publics
Gouvernement du Canada (Développement économique Canada, Ministère du Patrimoine canadien)
Gouvernement du Québec (Ministère du Tourisme, Ministère des Affaires municipales et des Régions Ministère de la Culture, des Communication et de la Condition féminine Société de développement des entreprises culturelles (SODEC))
Ville de Montréal (Service de développement culturel), Conseil des arts du Canada, Consulat général de France, Tourisme Montréal

Partenaires médias
Société Radio-Canada, CBC Television, TV5, La Presse, The Gazette, XM Radio Satellite, Bravo!, ARTV

Toujours plus près des **étoiles**

*Ever Closer To The **Stars***

Dans une carrière d'éditeur, les occasions sont rares de participer à la réalisation d'un ouvrage de référence comme celui-ci. Pour marquer son 30e anniversaire, le Festival International de Jazz de Montréal a fait appel à mes 20 années d'expérience dans l'édition de livres et de magazines pour produire un livre. Il m'a fallu un certain temps pour réaliser que le défi à relever était de taille. Comment résumer en 144 pages les trois décennies du festival de jazz le plus important au monde et en restituer toute la quintessence?

Au cours de ces 30 dernières années, le Festival a eu la bonne idée de constituer un fond d'images prises par des photographes montréalais talentueux. Il me paraissait évident qu'il fallait absolument exploiter toute la richesse de ce fond exceptionnel, véritable et unique mémoire visuelle du Festival et de le partager avec vous. Nous ne voulions pas faire un récit chronologique sur l'histoire du Festival. Non pas que son histoire n'est pas intéressante, loin de là. Mais le Festival, c'est aussi un faiseur d'émotions, un agitateur visuel. Pour arriver à un tel résultat, il a déployé une formidable énergie, au fil des éditions, pour rassembler des artistes connus et moins connus. Sans la vitalité et la passion de ces femmes et de ces hommes pour qui la musique est toute leur vie et souvent leur raison d'être, le Festival n'aurait jamais autant brillé de tous ses feux!

Tous ces artistes, toutes ces étoiles qui ont brillé et qui brillent encore, chaque été, dans le ciel de Montréal, nous nous devions de vous les présenter pour qu'elles continuent encore et toujours à vous éblouir. En feuilletant les pages de ce livre, vous pourrez même les effleurer du bout des doigts...

Jean-François Gayrard

In the career of an editor, the opportunity rarely arises to participate in the creation of a reference work such as this. To mark its 30th anniversary, the Festival International de Jazz de Montréal called upon my 20 years of experience editing books and magazines to produce this work. It took me a little while to realize the considerable scope of the challenge. How to summarize, in 144 pages, the three-decade history of one of the world's most important festivals and faithfully reproduce its quintessence?

Over the past 30 years, the Festival wisely decided to build a database of images captured by talented Montreal photographers, most of whom have been present since the beginning. It became evident to me that we should make the most of this exceptional and unique visual memory of the Festival, and share it with you. We did not want to create a chronological narrative of Festival history, not because that history is uninteresting—far from it. However, the Festival also stirs emotions, provokes visually. To do so, it has deployed a formidable energy, throughout the years, to gather celebrated and lesser-known artists. Without the vitality and passion of these women and men, for whom jazz and music in general are a way of life and their very raison d'être, the Festival would never have blazed so brightly!

The brilliant work of these artists, these stars who shone and still shine so brightly in the Montreal sky every summer, compelled us to present them to you anew, so that they might continue to bedazzle you, now and forever. In turning the pages of this book, you may even feel them at your fingertips, and sense their presence forever.

Un premier Festi
international d
jazz à Montréa

THÉÂTRE JEAN-DUCEPPE
Mercredi 2 juillet 2008

THANKS MILES!

n Montreal: the flight of the Phoenix" headlined *Le Soleil* when the player first came to the Festival International de Jazz de Montréal. other visits would follow, in addition to three sold-out concerts at ectrum in February 1990.

t all of Davis's Montreal appearances have had a determining effect s development as an artist. It's no surprise then that in 1983 he ded two performances recorded at the Festival in his album *Decoy*. in 1985, Davis made a laser disc video of a Festival performance, a of-a-kind recording available only in Japan.

n Montreal appearance of the "Prince" was for us a memorable event. rough thick and thin, ignoring the critics' venom, Miles has left us a inating achievement in which contrasts collide and discovery abounds. From *nd of Blue* and *In a Silent Way* to *Bitches Brew* and *Tutu*, before and after a cade of silence, he astonished us, shocked us and, in the end, conquered us.

If Miles Davis leaves behind a colossal musical legacy, he also leaves Quebeckers the memory of a unique collaboration. For the 9th Edition of the Festival, we called upon the musician, but also on the painter. Miles Davis agreed to participate in the design of the Festival poster with a pastel self-portrait, this from the man who has been called arrogant and unapproachable. On top of this, the performance he gave for the 9th Edition was positively breathtaking, a generous and joyful contribution to the success of the event.

Of course, the king of controversy and extravagance will remain an enigmatic personality who often led a hard rough life. For the Festival, however, Miles Davis will always be remembered as an outstanding creative spirit whose exceptional genius will live on forever.

For all the great moments Miles Dewey Davis, -we thank you.

The organizers of the Festival

THEATRE MAISONNEUVE
INTERNATIONAL DE JAZZ DE MONTREAL
LES GRANDS CONCERTS
OUSSOU N'DOUR
DI 8 JUILLET 1994 - 18H00

du Festival
1997
FESTIVAL
JAZZ
JAZZ
DE MONTRÉAL
ALAIN
SIMARD
THÉÂTRE MAISONNEUVE
Jeudi 3 juillet 2008 18h00
Nouveau Monde-84 Ste-Catherine O
INTERNATIONAL DE JAZZ DE MONTRÉAL
Invitation
JOHN SCOFIELD
BILL STEWART, LARRY GOLDINGS
et STEVE LOGAN
3 juillet 1998 - 19h30
$0.00 +$0.00 =$0.00
MEMBRE TAXES INCL.
TPS:$0.00 TVQ:$0.00
LaPuce 10$
te de collection
Tirage limité originalement à 5000 copies.
ment 300 exemplaires disponibles
20$
1er Prix
Conférence Mondiale Cardex 1995 de Maastricht
Contribuez au financement du Festival
ADMISSION
Les Couleurs SAQ
DANIEL LANOIS
MERCREDI - 3 JUILLET 2002 - 18H00
$0.00 +$0.00
MEMBRE
TPS:$0.00
ANGELO DEBARRE &
LUNDI - 30 JUIN
FLORENCE
juillet 2007 - 20:00
Nouveau Monde
Ste-Catherine Ouest
MEMBRE HONORAIRE
CETTE CARTE DONNE DROIT D'ASSISTER À TOUS LES EVENEMENTS DU FIJM - 1981
SALLE WILFRID-PELLETIER
INTERNATIONAL DE JAZZ DE MONTREAL
Evenements du Maurier Ltee
HANCOCK TRIO
1 JUILLET 1993 - 20H30
$4.50 +$.00 =$4.50
MEMBRE TAXES INCL.
TPS:$0.28 TVQ:$0.17
Pavillon Heineken
Admission générale
** ASSIS **
Mardi 26
FESTIVAL INTERNATIONAL DE
En primeur

Esplanade de la Place des Arts, 1986

Esplanade de la Place des Arts, 2008

Miles **Davis**

«Pourquoi jouer tant de notes alors qu'il suffit de jouer les plus belles ?», se plaisait à dire Miles Davis (1926–1991). En 1982, des centaines de paires d'yeux plongés dans la pénombre du Théâtre St-Denis fixent l'inimitable silhouette du célèbre trompettiste. Effectivement, Miles, reconnu pour sa capacité à réinventer sans cesse son style, se contente de jouer les plus belles notes. Pour lui, le silence était la véritable musique, les notes — les plus belles, bien sûr — ne faisaient que l'encadrer. Par son génie, Miles Davis a prouvé que le jazz pouvait toucher un public plus large et qu'il pouvait se renouveler.

"Why play so many notes when it's enough to just play the most beautiful ones?" Miles Davis (1926–1991) liked to say. In 1982, hundreds of pairs of eyes focus on the inimitable silhouette of the legendary trumpeter in the half-light of Théâtre St-Denis. Miles, renowned for his bottomless capacity to reinvent his style, contented himself with playing only the most beautiful notes. To Miles, silence was itself music, and the notes—only the beautiful ones, of course—merely framed it. Through his genius, Miles Davis proved that jazz could touch a wider audience, and constantly renew itself.

1982, Théâtre St-Denis

2000, Salle Wilfrid-Pelletier de la Place des Arts

1983, Théâtre St-Denis

Ray **Charles**

Ray Charles Robinson, alias Ray Charles (1930-2004), le génie du soul, a donné le tout dernier concert de sa carrière à Montréal, en 2003, à la Salle Wilfrid-Pelletier. Un an plus tard, il succombait d'une maladie du foie dans sa maison de Beverly Hills. Vingt-trois ans plus tôt, il inaugurait la toute première édition du Festival International de Jazz de Montréal à la Place des Nations. Les prestations montréalaises de l'auteur et interprète de *Georgia On My Mind* ont laissé des souvenirs indélébiles. L'homme au piano et aux lunettes noires, grand ami de Quincy Jones, aimait la scène. Le Festival lui rendra un hommage tout particulier en lui dédiant sa 25e édition en 2005.

Ray Charles Robinson, aka Ray Charles (1930-2004), the genius of soul, gave the final concert of his career in Montreal, in 2003, in Salle Wilfrid-Pelletier. One year later, he would succumb to liver cancer at home in Beverly Hills. Twenty-three years earlier, he had inaugurated the very first edition of the Festival International de Jazz de Montréal at Place des Nations. Inseparably identified with his immortal version of Georgia On My Mind, *Charles' Montreal performances left eternal memories. A great friend of Quincy Jones, he loved the concert stage. The Festival paid tribute to Charles in 2005, dedicating its 25th edition to him.*

Ella **Fitzgerald**

Ella Fitzgerald (1917-1996) maîtrisait à la perfection la technique du scat, forme d'improvisation vocale où des onomatopées sont utilisées plutôt que des paroles. Cette « instrumentiste de la voix », grande amie de Louis Amstrong, proclamée « la grande dame du jazz » a offert, en 1987, aux festivaliers massés au Théâtre St-Denis, une interprétation envoûtante de *Summertime*, l'un de ses plus grands succès.

Dans le programme officiel du festival de l'époque présentant le concert de l'artiste, on pouvait lire ceci : « c'est un rendez-vous avec le talent et 49 ans d'histoire du jazz ».

Ella Fitzgerald (1917-1996) was the unquestioned queen of scat singing, the improvisational vocal technique employing onomatopoeia and nonsense syllables rather than lyrics. The "First Lady of Song", a "vocal instrumentalist" and a great friend of Louis Armstrong, she brought her legendary mastery of the American songbook to fans in Théâtre St-Denis in 1987, thrilling them with Summertime*, one of her signature classics.*

The official Festival program from that time reads: "welcome to a rendez-vous with talent itself, and 49 years of jazz history."

1987, Salle Wilfrid-Pelletier de la Place des Arts

Portrait d'Oscar Perterson sur la façade de la Salle Wilfrid-Pelletier de la Place des Arts
à l'occasion de la 29e édition qui lui a été entièrement dédiée , 2008

Oscar **Peterson**

Sans conteste, l'un des plus grands pianistes de jazz canadiens. Oscar Emmanuel Peterson (1925-2007) a grandi dans la Petite-Bourgogne à Montréal. Influencé au début de sa carrière par Teddy Wilson, Nat « King » Cole et Art Tatum, il gagne rapidement une réputation internationale de pianiste à la technique irréprochable et aux mélodies inventives. Il a animé la première émission de télévision sur le Festival, diffusée sur CBC et au Japon. À maintes reprises, Oscar Peterson s'est placé sous les projecteurs du Festival. Oscar aimait jouer sous ces projecteurs-là. Oscar Peterson aimait le Festival, il aimait Montréal. Le Festival le lui rendait bien, notamment en créant un prix portant son nom.

Incontestably one of the greatest pianists in the history of Canadian jazz. Oscar Emmanuel Peterson (1925-2007) grew up in Montreal's Little Burgundy neighbourhood. Influenced by Teddy Wilson, Nat "King" Cole and Art Tatum at the outset of his career, he rapidly established an international reputation as a pianist of irreproachable technique and melodic invention. He hosted the first TV program on the Festival, broadcast on the CBC and in Japan. Oscar Peterson basked in the Festival spotlight on many occasions. Oscar Peterson loved the Festival and Montreal, and the feeling was deeply mutual—as evinced by the prize bearing his name, created by the Festival in his honour.

1989, Salle Wilfrid-Pelletier de la Place des Arts

Alain Simard et Kelly Peterson, 2008
Esplanade de la Place des Arts

Oscar Peterson, 1995
Salle Wilfrid-Pelletier de la Place des Arts

Oscar Peterson et Oliver Jones, 1989
Salle Wilfrid-Pelletier de la Place des Arts

Oliver Jones et Lorraine Desmarais, 2007
Salle Wilfrid-Pelletier de la Place des Arts

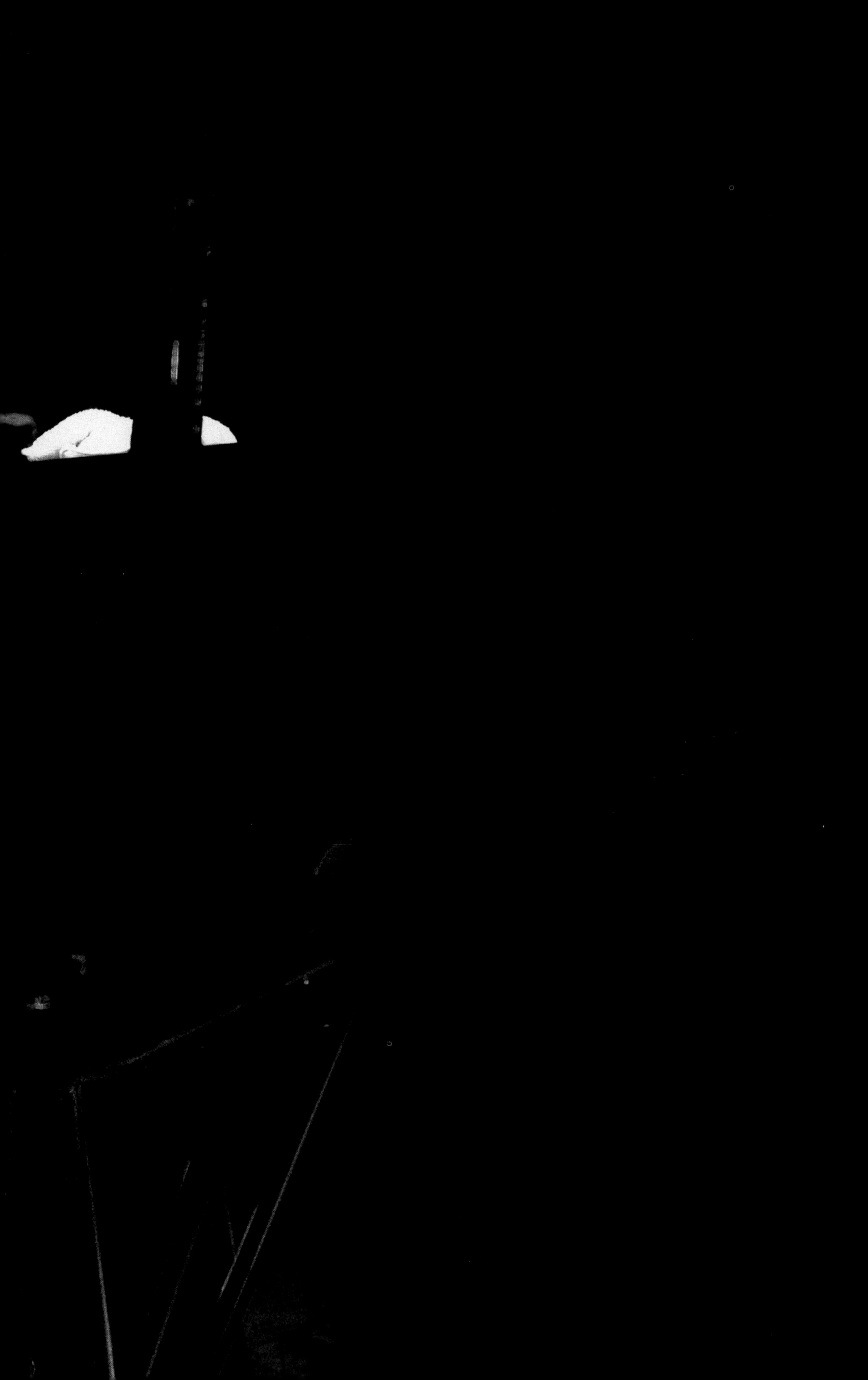

Oliver Jones et Charles Dutoit en répétition, 1989

Oliver **Jones**

Difficile de dissocier Oliver Jones du Festival. Le pianiste montréalais, ami d'enfance d'Oscar Peterson (ils ont étudié le piano ensemble), était là dès la deuxième édition, en 1981, pour un concert mémorable avec le contrebassiste Charlie Biddle, et s'est produit chaque année jusqu'en 1999. Il a participé à sept reprises aux concerts d'ouverture et de clôture. Personnage affable, artiste accompli, Oliver Jones s'est impliqué dans des projets musicaux originaux en compagnie, entre autres, de Charles Dutoit, directeur de l'Orchestre symphonique de Montréal, en 1989, et de sa consœur Lorraine Desmarais en 2007 : de beaux et grands moments de complicité artistique.

It's practically impossible to separate Oliver Jones from the Festival. A childhood friend of Oscar Peterson (they studied piano together), the Montreal pianist made his first appearance at the second edition, in 1981, in a memorable concert with double bassist Charlie Biddle, and performed every year until 1999. He took part in seven different opening and closing concerts. An affable figure and accomplished artist, Oliver Jones has been involved in an array of original musical projects in the company of, among others, Charles Dutoit, conductor of the Orchestre Symphonique de Montréal, in 1989, and his colleague Lorraine Desmarais in 2007: sublimely memorable moments of artistic communion.

Dave Brubeck et le clarinettiste Bill Smith avec l'OSM, 1987
Salle Wilfrid-Pelletier de la Place des Arts

Dave Brubeck au côté de sa femme Iola présente à tous ses concerts, 2008
Loge de la Place des Arts

Dave **Brubeck**

L'homme a consacré sa vie au piano et à la composition. Il a étudié à Paris avec le compositeur français Darius Milhaud. Ses expériences rythmiques l'ont rendu célèbre dans le monde entier. Avec *Take Five* (album *Time Out*, 1959), le Californien Dave Brubeck révolutionne quelque peu le jazz des années 60 en créant une composition à cinq temps qui connaîtra un succès planétaire. Quant à ses différentes prestations au Festival, que ce soit, notamment, avec son quartet (1981), avec l'Orchestre symphonique de Montréal (1987), au côté de Jim Hall (2002) ou encore avec Angèle Dubeau qui lui rend hommage (2000), elles donnent toujours au spectateur le sentiment d'être un témoin privilégié de l'évolution de la grande histoire du jazz.

He has dedicated his life to piano and composition. After studying in Paris with French composer Darius Milhaud, Dave Brubeck's rhythmic experimentations made him famous the world over. The Californian's essential Take Five *from the 1959 album* Time Out *helped revolutionize jazz in the '50s, taking a composition written in 5/4 time to global success. His numerous appearances at the Festival, notably with his quartet (1981), the Orchestre Symphonique de Montréal (1987), guitarist Jim Hall (2002) and Angèle Dubeau in a tribute concert (2000) have always given spectators the privileged sense of witnessing another moment in the evolution of jazz history.*

Grand événement — *Chapeau Mr. Cohen, hommage à Leonard Cohen*, 2008
Site du Festival

1- Chris Botti 2- Serena Ryder 3- Adam Cohen 4- Katie Melua 5- Michel Pagliaro 6- Madeleine Peyroux

2008
Salle Wilfrid-Pelletier de la Place des Arts

Leonard **Cohen**

2008 a marqué le grand retour sur scène de Leonard Cohen, l'icône montréalaise par excellence. L'hommage que lui rend le Festival, cette année-là, *Chapeau Mr. Cohen*, est largement salué par le public et la critique. Leonard Cohen, l'interprète, le compositeur et le poète, a commencé sa carrière en 1967. Depuis, ses chansons ont été reprises plus de 1300 fois !

L'artiste inspire le respect. Sa voix — une voix de baryton — apaise. Souvent, ses mélodies sont envoûtantes. Presque toujours, ses textes incitent à réfléchir notamment sur la complexité des relations interpersonnelles, un thème récurrent dans ses œuvres. L'homme, pour ce qu'il est, ce qu'il dit et ce qu'il écrit, ne laisse personne indifférent.

2008 marked Leonard Cohen's grand return to live performance. The Cohen tribute mounted by the Festival, Chapeau Mr. Cohen*, was widely heralded by the public and critics alike. Singer, songwriter, poet, novelist and Montreal icon Leonard Cohen began his career in 1967. Since then, his songs have been covered over 1,300 times!*

This is an artist who inspires respect. His baritone voice soothes, his melodies bewitch, and his lyrics inspire reflection, notably on the complexity of interpersonal relations, a recurrent theme in his work. He is a man and an artist whose words, whether written, spoken or sung, leave no person indifferent.

2004, Coulisses du Centre Bell

Diana **Krall**

« *Ô temps ! suspends ton vol* ». Alphonse de Lamartine, qui a écrit ce célèbre vers, n'a jamais croisé Diana Krall. Mais si cela s'était produit, n'aurait-il pas lui aussi été sous le charme de la chanteuse canadienne ? N'aurait-il pas voulu, comme nous tous, suspendre le temps ? 1995, 1997, 1999, 2004… En égrainant le chapelet des éditions du Festival, Diana Krall est souvent là. Pianiste talentueuse, sa voix chaude se distingue par son timbre que l'on attribue généralement aux artistes noires. Au cours de sa carrière sans faille, elle a croisé la route de Jeff Hamilton, de John Clayton, de Tony Bennett et bien sûr d'Elvis Costello. Elle a rendu hommage à Nat King Cole, son modèle. Elle a chanté Tom Waits. Temps, continue à suspendre ton vol quand Diana monte sur scène !

"O Time, arrest your flight!" *Alphonse de Lamartine, writer of those deathless words, never met Diana Krall—but had the encounter occurred, might he not also have fallen for the Canadian singer's charms? Would he not have wanted to suspend time, as do we all? 1995, 1997, 1999, 2004… in reviewing past editions of the Festival, Diana Krall's name appears again and again. A talented pianist, blessed with a warm vocal timbre generally attributed to African-American singers, she has during her career crossed paths with the likes of Jeff Hamilton, John Clayton, Tony Bennett and, of course, Elvis Costello. She has paid tribute to her model, Nat King Cole, and visited the Tom Waits songbook. O Time, arrest anew your flight when fair Diana takes the stage!*

Première prestation de Diana Krall avec le guitariste Russel Malone
1995, Cabaret Juste pour rire

1997, Théâtre Maisonneuve de la Place des Arts

2004, Centre Bell

2005

Pat Metheny, Milton Nascimento, Herbie Hancock, 1987

2005

Pat **Metheny**

1989, le Festival a 10 ans. L'avenue McGill College est noire de monde. Le guitariste Pat Metheny n'en revient pas : toute cette foule est venue pour lui ! Le musicien est ému. L'adrénaline monte, sa prestation est exceptionnelle. Ce concert-là, Pat Metheny s'en souviendra longtemps, le public aussi. Pat a toujours joué la musique qu'il aimerait entendre : une musique aux influences classiques et culturelles diverses. Depuis 1975, année où il connut la popularité avec l'album *Bright Size Life*, Pat Metheny n'a pas quitté le devant la scène et multiplie les projets musicaux en solo ou avec son groupe.

In 1989, the Festival turns 10, and McGill College Avenue is a sea of people. Guitarist Pat Metheny can't believe it: this entire crowd has come out for him! The musician is clearly moved. On a rush of adrenalin, he delivers an exceptional performance. It is a concert neither Pat Metheny nor his audience will ever forget. Pat has always played the music he wanted to hear himself: open to classical influences and diverse cultures. Since 1975, when Bright Size Life *brought him to public attention and acclaim, Metheny has remained an onstage musical adventurer, whether solo or in group projects.*

Pat Metheny, 1989
Rue McGill

Astor **Piazzola**

1984, Spectrum de Montréal

Ce nom raisonne comme un pas de tango ! À la fin de ses jours, Astor Piazzola (1927-1992) confiait à un journaliste qu'il écoutait du tango depuis l'âge de huit ans. Le bandéoniste argentin vénérait cette musique et les musiciens qui l'interprétaient. « Quand on crée, il faut avoir son propre style. Sans style, il n'y a pas de musique » disait-il. Piazzola l'a créé, son propre style. L'Amérique du Nord découvre pour la première fois ce précurseur du Tango Nuevo en 1984, au Spectrum, grâce au Festival. La rencontre entre les festivaliers et le musicien argentin fut à fois magique et touchante.

It is a name synonymous with the tango! At the end of his days, Astor Piazzola (1927-1992) confided to a journalist that he had been listening to tango music since the age of 8. The Argentinian bandoneónist venerated this music, and the musicians who played it. "In order to create, you must have your own style. Without style, there is no music," he said. Piazzola certainly created his. North America first discovered this precursor of Tango Nuevo in 1984 at the Spectrum, thanks to the Festival. The encounter between Festival fans and the Argentinian musician was at once magical and touching.

Toots **Thielemans**

2002, Théâtre Maisonneuve de la Place des Arts

C'est la référence incontestable de l'harmonica. Le Belge Toots Thielemans se passionne par cet instrument en écoutant Ray Ventura et son orchestre et devient accro du jazz durant la Seconde Guerre mondiale. Tous les plus grands veulent l'harmonica de « Toots ». Sur scène, en 2002, il ensorcelle les festivaliers qui ne peuvent résister à la bonne humeur contagieuse de l'artiste et au son endiablé d'un harmonica qu'il maîtrise à la perfection.

When it comes to harmonica, he is the incontestable reference point. Belgian Toots Thielemans discovered a passion for the instrument listening to Ray Ventura and his orchestra, and got hooked on jazz during World War II. All the greats call on Toots' harp. In 2002, Thielemans mesmerized a Festival crowd, who couldn't resist his contagious good humour, and the inspired sound of the instrument he has mastered to perfection.

Wynton Marsalis, 1989
Salle Wilfrid-Pelletier de la Place des Arts

Branford Marsalis, 2007
Théâtre Maisonneuve de la Place des Arts

Wynton **Marsalis** et Branford **Marsalis**

Lorsque les Marsalis montent sur scène, le temps s'arrête, la musique est reine, le jazz est roi. Wynton est un virtuose de la trompette, un des musiciens les plus demandés de sa génération, capable de toutes les prouesses, aussi bien en jazz qu'en musique classique. Les festivaliers le découvrent en 1982 alors qu'il participe au premier enregistrement télé de sa carrière pendant le Festival. Branford, son frère, joue des saxophones alto et soprano avec ce même désir de perfection. Lorsque les lumières de la salle s'éteignent, l'enthousiasme de ces deux musiciens illumine le cœur des mélomanes les plus exigeants.

When the Marsalises take the stage, time stands still, music is queen and jazz is king. Wynton is a trumpet virtuoso, one of the most in-demand musicians of his generation, a player of uncommon prowess equally comfortable in jazz and classical music. Festival fans discovered him in 1982, when he participated in the first TV taping of his career with us. Branford, his brother, plays alto and soprano saxophone with the same passion for perfection. When the houselights go down, the enthusiasm of these two musicians illuminates the heart of the most demanding music lover.

2003, Salle Wilfrid-Pelletier de la Place des Arts

IVAL INTERNATIONAL DE JAZZ DE MONTRÉA
Les Grands Concerts TD Canada Trust
BOBBY McFERRIN
et invités
samedi, 2 juillet 2005 - 18:00
Théâtre Maisonneuve - Place des Arts
175, rue Ste-Catherine Ouest
0,00$
MEMBRE

Bobby **McFerrin**

À l'instar d'Ella Fitzgerald, Bobby McFerrin est incontestablement devenu le roi du scat. Il fascine par l'utilisation qu'il fait de sa voix qu'il se sert comme d'un instrument, voire comme de plusieurs instruments. Artiste connu dans le monde entier grâce à *Don't Worry, Be Happy*, il joue avec tous les styles musicaux. Il passe de Bach à John Coltrane, ou de Mozart à Charlie Parker sans aucune difficulté. Bobby McFerrin est un chanteur de jazz infatigable et surprenant, un amoureux de la scène, un inventeur prodigieux.

Following in the footsteps of Ella Fitzgerald, Bobby McFerrin is the incontestable king of scat singing. He fascinates audiences with his vocalese, employing his voice as a genuine musical instrument—or instruments! Known the world over thanks to the smash success of Don't Worry, Be Happy*, he works in all musical styles, shifting with ease from Bach to John Coltrane, Mozart to Charlie Parker. Bobby McFerrin is an indefatigable and surprising jazz singer, a passionate stage performer and a prodigiously inventive artist.*

1987, Salle Wilfrid-Pelletier de la Place des Arts

Joe **Zawinul**

1997, Spectrum de Montréal

Avec son groupe fondé dans les années 70, Weather Report, le pianiste autrichien Joe Zawinul (1932-2007) impose un style jazz-rock unique. Miles Davis fait appel à lui à la fin des années 1960 lorsqu'il décide de faire évoluer son jazz vers un jazz plus électrique. Ils enregistreront deux albums ensemble. Avec Weather Report, Zawinul, pionnier du clavier électro-acoutisque et électronique, se permet d'expérimenter de nouveaux sons et n'hésite pas à s'entourer de musiciens qui poursuivent cette même quête, comme le bassiste Jaco Pastorius. En 1997, année de sa mort, les festivaliers ont eu la chance d'assister à l'un de ses derniers concerts.

With '70s supergroup Weather Report, Austrian pianist Joe Zawinul (1932-2007) created a unique jazz-rock fusion. Miles Davis had called on him during the late '60s when he decided to move in a more electric direction; they would record two albums together. A pioneer in electro-acoustic and electronic keyboards, Zawinul used Weather Report to experiment with new sounds, surrounding himself with musicians who shared this quest, including bassist Jaco Pastorius. In 1997, the year of his death, Festival fans were privileged to attend one of his final concerts.

Wayne **Shorter**

1990, Salle Wilfrid-Pelletier de la Place des Arts

Saxophoniste et compositeur américain considéré comme l'un des plus importants musiciens de jazz issus des années 1960, Wayne Shorter a joué de longues années aux côtés de Miles Davis et de Herbie Hancock avant de se lancer dans l'aventure de Weather Report avec Joe Zawinul. Il restera 15 ans au sein de ce groupe. Wayner Shorter a légué au jazz un impressionnant héritage de standards. La discographie de l'artiste impose le respect, à l'image de ses nombreuses prestations au Festival dont celle de 1990.

An American saxophonist and composer considered among the most important jazz musicians to appear in the '60s,Wayne Shorter played alongside Miles Davis and Herbie Hancock for years before launching himself into the Weather Report adventure with Joe Zawinul. He would spend 15 years at the heart of the group. Wayne Shorter has bequeathed an impressive legacy of standards to jazz. His is a discography that inspires respect, in the manner of his numerous Festival performances including this one from 1990.

1988, Salle Wilfrid-Pelletier de la Place des Arts

Dizzy **Gillespie**

Une vitesse de jeu étonnante, une technique irréprochable, avec Miles Davis et Louis Amstrong, l'américain Dizzy Gillespie (1917-1993) est l'un des plus importants trompettistes de l'histoire du jazz. Sa trompette au pavillon incliné a plusieurs fois fait sensation au Festival. Il a participé à la création du be-bop, introduit les rythmes latino-américains dans le jazz. Dizzy Gillespie est une véritable légende qui jouissait auprès d'un large public d'une grande popularité.

The stunning speed, the irreproachable technique—along with Mile Davis and Louis Armstrong, Dizzy Gillespie (1917-1999) is one of the most important trumpeters in the history of jazz. His trumpet, with its iconic angled bell, electrified the Festival more than once. He helped invent bebop and introduced Latin-American rhythms to jazz. Dizzy Gillespie is a genuine legend who enjoyed mass popularity in the greater cultural audience.

1986, Salle Wilfrid-Pelletier de la Place des Arts

1982, Théâtre St-Denis

1982, Théâtre St-Denis

Jaco **Pastorius**

Triste destin que celui de Jaco Pastorius (1951-1987) décédé dans des circonstances dramatiques et dans l'isolement le plus total à l'âge de 36 ans. Pat Metheny disait de lui qu'« il était le dernier jazzman du 20e siècle à avoir influencé les générations suivantes ». Jaco Pastorius était sans conteste l'un des plus grands bassistes de tous les temps. Lors de son unique passage au Festival, en 1982, Montréal succombe à la virtuosité de ce musicien d'exception qui a soufflé un vent de folie dans l'univers du jazz.

The life of Jaco Pastorius (1951-1987) ended tragically under dramatic circumstances, in complete isolation, at age 36. Pat Metheny wrote that he "may well have been the last jazz musician of the 20th century to have made a major impact on the musical world at large." Pastorius was unquestionably one of the greatest bassists in history. During his one and only visit to the Festival in 1982, Montreal fell hard for the virtuosity of this exceptional musician, who brought an inspired madness to the jazz world.

2006, Grand événement — *Hommage à Paul Simon*

Holly **Cole**

Sur scène, la chanteuse n'hésite pas à donner à son personnage un petit côté espiègle, mais surtout sa voix enrouée de contralto subjugue l'auditoire. Holly Cole fait partie de cette génération de chanteuses de jazz qui interprètent des chansons pop contemporaines. Généralement accompagnée du pianiste Aaron Davis et du bassiste David Piltch, Holly chante et enchante à chacun de ses passages. Le répertoire d'Holly Cole permet de revisiter les succès de Tom Waits, de Cole Porter, du Beach Boy Brian Wilson, d'Elvis Costello et même du Livre de la jungle de Walt Disney.

Onstage, this singer never hides the mischievous side of her personality, but it's her smoky contralto that conquers the crowd. Holly Cole is among that generation of female jazz singers drawn to interpreting contemporary pop songs. Usually accompanied by pianist Aaron Davis and bassist David Piltch, Holly sings, swings and bewitches with each successive appearance. Cole's repertoire embraces songs by Tom Waits, Cole Porter, Brian Wilson, Elvis Costello and even Walt Disney's Jungle Book.

1992, Spectrum de Montréal

UZEB

1992, Grand événement — Site du Festival

7 juillet 1992, un raz-de-marée humain déferle sur le site du Festival. UZEB, groupe montréalais mythique des années 80, ambassadeurs du jazz-fusion québécois dans le monde entier, se réunit exceptionnellement pour un évènement spécial du Festival. Le trio composé d'Alain Caron, de Michel Cusson et de Paul Brochu est au top de sa forme. Le violoniste français Didier Lockwood, le trompettiste Tiger Okoshi et les claviéristes Jean St Jacques et Michel Cyr sont également de la fête, une des plus grandes fêtes musicales de l'histoire du Festival.

July 7, 1992: a human tidal wave breaks over the Festival site as a major event overtakes the main outdoor stage. UZEB, legendary '80s Montreal group, Québécois jazz-fusion ambassadors to the world, reunite exclusively for a special Festival event. The trio of Alain Caron, Michel Cusson and Paul Brochu are at the top of their game. French violinist Didier Lockwood, trumpeter Tiger Okoshi and keyboardists Jean St Jacques and Michel Cyr join in the celebration, one of the largest musical events in Festival history.

Urban **Sax**

1987, Site du Festival

Été 1973, le français Gilbert Artman crée son concept d'« orchestre mobile » composé de huit saxophonistes et de quatre générateurs de sons mobiles ! Urban Sax venait de naître. En 1987, l'orchestre mobile crée la surprise en déambulant sur le site du Festival, remplissant l'espace urbain de sonorités nouvelles dans une mise en scène des plus visuelles.

In the summer of 1973, Frenchman Gilbert Artman created a "mobile orchestra" concept, composed of eight saxophonists and four mobie sound generators! Urban Sax is born. In 1987, the concept takes ample and surprising form at the Festival, with Urban Sax deploying its members through the crowd and over the site, filling the urban space with novel sounds in a highly visual performance.

Dee Dee **Bridgewater**

Denise Eileen Garrett alias Dee Dee Bridgewater est née d'un père trompettiste jazz, à Memphis dans le Tennessee. En 1971, sa carrière de chanteuse de jazz débute aux côtés des plus grands jazzmen du moment (Dizzy Gillepsie, Dexter Gordon). Elle enchaîne les albums, joue dans des comédies musicales à succès, interprète Carmen dans une version jazz de l'opéra, chante en duo avec Ray Charles. Dee Dee est une bête de scène. Grâce au Festival, l'Amérique du Nord redécouvre la chanteuse qui s'était exilée un temps à Paris.

Denise Eileen Garrett, aka Dee Dee Bridgewater, was born in Memphis, Tennessee; her father was a jazz trumpeter. In 1971, she began her jazz singing career alongside some of the greatest jazzmen of the time (Dizzy Gillespie, Dexter Gordon). She has since released a string of albums, starred in musical comedies, played Carmen in a jazz version of the opera, and sung duets with Ray Charles. Dee Dee was born for the stage. After an ex-pat period in Paris, Dee Dee was rediscovered by the North American audience thanks to the Festival.

1994, Théâtre Maisonneuve de la Place des Arts

2006, Théâtre Maisonneuve de la Place des Arts

1997, Salle Wilfrid-Pelletier de la Place des Arts

1986, Théâtre St-Denis

James **Brown**

1986, le Parrain du Soul se démène sur la scène du Spectrum de Montréal. L'ambiance est électrique, les interprétations de l'artiste endiablées comme toujours. James Brown (1928-2006) rêvait de devenir boxeur; c'est le chant qui l'a rendu célèbre. Et pas seulement le chant. Il a été l'inventeur du funk et a influencé le disco. Monsieur Brown, à l'image de ses spectacles, a eu une vie plutôt mouvementée. Malgré ses nombreux démêlés judiciaires et ses frasques conjugales largement médiatisés, le Parrain du Soul a été et restera un des plus grands artistes du 20e siècle.

In 1986, the Godfather of Soul unleashes himself onstage in the Spectrum de Montréal. The atmosphere is electric, his performance as wild as ever. James Brown (1928-2006) dreamed of becoming a boxer; he fought his way instead to the heavyweight championship of song, and not just as a singer. He was the inventor of funk and had a huge influence on disco. In the image of his performances, James Brown's life was hectic and colourful. Despite his numerous legal entanglements and widely-publicized conjugal escapades, the Godfather of Soul was and remains one of the greatest artists of the 20th century.

Keith **Jarrett**

1990, Salle Wilfrid-Pelletier de la Place des Arts

2004, Salle Wilfrid-Pelletier de la Place des Arts

Dans le monde entier, les amateurs lui vouent un véritable culte. Keith Jarrett est un pianiste de grande envergure qui a résisté à la tentation de l'électronique. Il a commencé à jouer du piano à l'âge de 3 ans, a donné son premier concert à l'âge de 7 ans et un récital de ses propres œuvres à l'âge de 15 ans ! À chacun de ses passages au Festival, c'est la consécration. Le génie de l'homme fait mouche à chaque fois. Son style, entre le « gospel jazz » et « l'avant-garde », a séduit des musiciens de la trempe de Miles Davis qui, en 1970, l'avait recruté dans son groupe.

His fans constitute a veritable cult the world over. Keith Jarrett is a pianist of great stature who has resisted the temptation of electronic instruments. Starting piano at age 3, he gave his first concert at age 7, and a recital of his own compositions at age 15! Each of his Festival appearances is treated like a sacred event, with the man's brilliance always achieving transcendence. His style, between gospel-jazz and the avant-garde, seduced artists of the calibre of Miles Davis, who recruited Jarrett for his group in 1970.

Mike **Stern** Roy **Hargrove** Richard **Bona**

2007, Théâtre Jean-Duceppe de la Place des Arts

L'image est rare, le moment le fut tout autant. En 2007, sur la scène du Théâtre Jean-Duceppe de la Place des Arts, trois artistes géniaux — le guitariste de jazz fusion Mike Stern, le trompettiste Roy Hargrove (découvert alors qu'il était encore à l'université par Wynton Marsalis), le bassiste et chanteur camerounais Richard Bona — ont réussi à « fabriquer » un somptueux moment de musique placé sous le signe du jazz.

A rare image, from a moment just as singular. In 2007, on the Théâtre Jean-Duceppe stage in Place des Arts, three brilliant artists—jazz fusion guitarist Mike Stern, trumpeter Roy Hargrove (discovered while he was still in university by Wynton Marsalis), and Cameroonian bassist and singer Richard Bona—create a sumptuous musical moment under the jazz banner.

1994, Théâtre Maisonneuve de la Place des Arts

1995, Spectrum de Montréal

Cassandra **Wilson**

Chanteuse de jazz américaine à la technique parfaite, Cassandra Wilson a grandi avec la passion du jazz dans une famille de musiciens et de chanteurs. Elle a commencé sa carrière de chanteuse comme choriste dans différents groupes de jazz à New York. Elle se fait très vite remarquer avec sa voix puissante et sort son premier album en solo en 1986. À chacune de ses participations au Festival, notamment en 1995 et en 2000, Cassandra Wilson suscite l'émerveillement.

A singer blessed with perfect technique, American Cassandra Wilson grew up with a passion for jazz, in a family of musicians and singers. She began her singing career as a backup singer for a number of different jazz groups in New York. Swiftly recognized for powerful voice, she released her debut solo album in 1986. Each of her Festival performances, notably in 1995 and 2000, has been met with a rapturous response.

2003, Métropolis

1997, Spectrum de Montréal

- 59 Ste-Catherine Est
RNATIONAL DE JAZZ DE MONTRÉAL
Rythmes du Maurier
BEN HARPER
- 3 JUILLET 2003 - 21H00
DEBOUT
TPS:$0.00 TVQ:$0.00
$0.00 +$0.00 =$0.00
0.00
RANGÉE - ROW
SIÈGE - SEAT
4i.300/03
0 x12
30703 0507114 578
NON REMBOURSABLE - NON ÉCHANGEABLE

Ben **Harper**

Lors de sa toute première participation, au festival en 1997, le guitariste Ben Harper est à peine connu du public qui découvre déjà un style plein de promesses. Lorsqu'il revient en 2003, c'est la star qui a su réinventer le son du blues, du reggae, du folk et du rock qui est acclamée : « je suis une éponge. Si quelque chose me plait, je me l'approprie ».

During his first participation in the Festival in 1997, guitarist Ben Harper was still little-known to the public, although his style was already bursting with promise. Upon his return in 2003, he was a star who had forged an acclaimed sound redefining the parameters of blues, reggae, folk and rock: "I am a sponge. If something pleases me, I appropriate it."

Brad **Mehldau**

1997, Théâtre du Nouveau Monde

Le pianiste américain Brad Mehldau se prédestinait plus à jouer du rock que du jazz. Et pourtant, c'est avec le jazz qu'il va se faire connaître du monde entier. Émule de Bill Evans, il jouera aux côtés de Charlie Haden et de Pat Metheny. Mehldau a ce don particulier de rendre le jazz accessible à tous sans décevoir les puristes.

American pianist Brad Mehldau was likely born to play rock rather than jazz; however, jazz is the music that would take him to world renown. An emulator of Bill Evans, he has played alongside Charlie Haden and Pat Metheny. Mehldau has the gift for making jazz accessible to all, without disappointing the purists.

Herbie **Hancock**

2000, Salle Wilfrid-Pelletier de la Place des Arts

Artiste audacieux dans ses choix, virtuose du piano, l'américain Herbie Hancock n'hésite pas à intégrer à son jazz et de façon harmonieuse des éléments de soul, de rock, de disco et de hip-hop. Il jouera avec les jazzmen les plus célèbres : Miles Davis, Wayne Shorter ou encore Ron Carter. Quincy Jones fait également appel à lui, notamment, parce qu'il est un des rares pianistes de jazz à utiliser les synthétiseurs et le scratch.

A daring artist, a piano virtuoso, American Herbie Hancock has always found a way to harmoniously integrate elements of soul, rock, disco and hip hop into his jazz. He has played with a Who's-who of jazzmen including Miles Davis, Wayne Shorter and Ron Carter. Quincy Jones would come to call on him as well, given Hancock is one of the rare jazz pianists to use synthesizers and scratching.

2008, Salle Wilfrid-Pelletier de la Place des Arts

Aretha **Franklin**

À peine âgée de sept ans, elle chantait déjà le gospel dans l'église de son père à Detroit. Elle a enregistré son premier disque à l'âge de 14 ans. Elle a repris avec succès le titre *Respect* de Otis Redding. Sa carrière a été couronnée par 18 Grammy Award, un record ! Symbole de fierté pour la communauté noire, vers la fin des années 1960, on la surnomme la Reine du Soul. En 2008, celle qui détient toujours le record de « Meilleure performance vocale féminine R&B » acceptait de venir chanter pour la première fois au Festival alors qu'elle a toujours refusé de faire des tournées et de prendre l'avion ! La prestation de cette icône du soul restera à jamais marquée d'une pierre blanche dans les annales du Festival.

She was already singing gospel at the age of seven in her father's church in Detroit. She recorded her first album at the age of 14, and turned Otis Redding's Respect *into her own trademark anthem. Aretha Franklin's career has been recognized with 18 Grammy Awards, a record! A symbol of pride for the African American community, she was crowned the Queen of Soul in the late '60s. In 2008, she brought that voice—winner of the most Best Female R&B Vocal awards in history—for a first-ever performance at the Festival, after consistently refusing to tour or travel by plane! That performance by this icon of soul will forever hold a special place in Festival lore.*

2008, Salle Wilfrid-Pelletier de la Place des Arts

2008, À la sortie de la Salle Wilfrid-Pelletier de la Place des Arts

2008, Salle Wilfrid-Pelletier de la Place des Arts

HAT YOU NEED
O YOU KNOW I GOT IT
LL I'M ASKIN'
S FOR A LITTLE RESPECT WHEN YOU COME HOME (JUST A LITTLE BIT)
HEY BABY (JUST A LITTLE BITNO) WHEN YOU GET HOME
JUST A LITTLE BIT) MISTER (JUST A LITTLE BIT)

I AIN'T GONNA DO YOU WRONG WHILE YOU'RE GONE
AIN'T GONNA DO YOU WRONG (OO) 'CAUSE I DON'T WANNA
ALL I'M ASKIN' (OO)
IS FOR A LITTLE RESPECT WHEN YOU COME HOME (JUST A LITTLE BIT)
HEY BABY (JUST A LITTLE BIT) WHEN YOU GET HOME (JUST A LITTLE BIT)
YEAH (JUST A LITTLE BIT)

I'M ABOUT TO GIVE YOU ALL OF MY MONEY
AND ALL I'M ASKIN' IN RETURN, HONEY
IS TO GIVE ME MY PROPERS
WHEN YOU GET HOME (JUST A, JUST A, JUST A, JUST A)
YEAH BABY (JUST A, JUST A, JUST A, JUST A)
WHEN YOU GET HOME (JUST A LITTLE BIT)
YEAH (JUST A LITTLE BIT)

OOO, YOUR KISSES
SWEETER THAN HONEY
AND GUESS WHAT?
SO IS MY MONEY
ALL I WANT YOU TO DO (OO) FOR ME
IS GIVE IT TO ME WHEN YOU GET HOME
YEAH BABY
WHIP IT TO ME (RESPECT, JUST A LITTLE BIT)
WHEN YOU GET HOME, NOW (JUST A LITTLE BIT)

R-E-S-P-E-C-T
FIND OUT WHAT IT MEANS TO ME
R-E-S-P-E-C-T
TAKE CARE, TCB

OH (SOCK IT TO ME, SOCK IT TO ME,
SOCK IT TO ME, SOCK IT TO ME)
A LITTLE RESPECT (SOCK IT TO ME, SOCK IT TO ME,
SOCK IT TO ME, SOCK IT TO ME)
WHOA, BABE (JUST A LITTLE BIT)
A LITTLE RESPECT (JUST A LITTLE BIT)
I GET TIRED (JUST A LITTLE BIT)
KEEP ON TRYIN' (JUST A LITTLE BIT)
YOU'RE RUNNIN' OUT OF FOOLIN' (JUST A LITTLE BIT)
AND I AIN'T LYIN' (JUST A LITTLE BIT)
'SPECT
WHEN YOU COME HOME
OR YOU MIGHT WALK IN (RESPECT, JUST A LITTLE BIT)
AND FIND OUT I'M GONE (JUST A LITTLE BIT)
I GOT TO HAVE (JUST A LITTLE BIT)
A LITTLE RESPECT (JUST A LITTLE BIT)

à Terre des Hommes du 2 au 10 juillet

Ray Charles
Heritage Hall
Jazz Band
Orpheus
Solstice
Chick Corea &
Gary Burton
Zak, Nebu, L'Os
Maneige
Ramsey Lewis
Vic Vogel
Big Band
Dejan's Olympia
Brass Band

Pat Metheny Group
Expo Théâtre
Club Montréal
Tom Waits
Dizzy Gillespie
Dave Brubeck Quartet
Spyro Gyra
Ralph Towner
Arthur Blythe
Art Blakey and
The Jazz Messengers
Transit

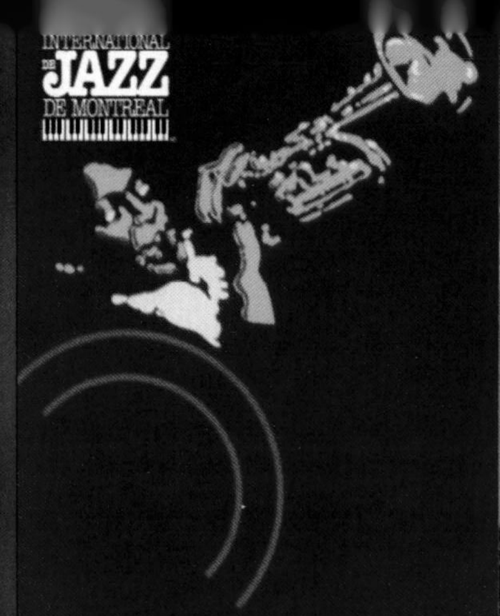

30 JUIN AU 10 JUILLET 2005

2004, Salle Wilfrid-Pelletier de la Place des Arts

Tony **Bennett**

Il ne chante pas l'amour, il l'incarne ! Le chanteur italo-américain Tony Bennett est sans conteste l'un des meilleurs chanteurs de jazz de sa génération. Al Jolson, Judy Garland, Louis Amstrong, Bing Crosby l'ont inspiré lorsqu'il était plus jeune. Après un long passage à vide durant toute la période de succès du rock, au début des années 2000, Tony Bennett fait un come-back remarqué, à l'image de sa performance à la Salle Wilfrid-Pelletier pour le Festival en 2004. Le crooner séduit les jeunes et les moins jeunes avec ce qu'il faut de malice dans les yeux, mais surtout avec son immense talent.

He doesn't sing of love, he personifies it! Italian-American singer Tony Bennett is without a doubt one of the finest singers of his generation. Al Jolson, Judy Garland and Louis Armstrong inspired him when he was young. After a long dry spell during the rise of rock, Bennett made a remarkable comeback in the '90s, bringing him to the Festival for a memorable Salle Wilfrid-Pelletier in 2004. With that twinkle in his eye and that immense, undeniable talent, Bennett charms fans of all ages.

1983, Théâtre St-Denis

Sarah **Vaughan**

Virtuose du scat, égérie des musiciens be-bop, Sarah Vaughan (1924-1990) est l'une des trois plus grandes chanteuses de jazz avec Ella Fitzgerald et Billie Holiday. En 1983, la star internationale, qui a croisé la route de Charlie Parker, de Dizzie Gillespie et de Count Basie, subjugue le public du Théâtre St-Denis. Lors de ce concert mémorable, Sarah Vaughn livre les plus grands standards de son répertoire avec sa voix profonde et sensuelle. La chanteuse est ovationnée par les festivaliers.

Scat-singing virtuoso, muse of the be-boppers, Sarah Vaughn (1924-1990) is, along with Ella Fitzgerald and Billie Holiday, one of the three greatest female singers in jazz history. In 1983, this international star, who crossed paths with Charlie Parker, Dizzy Gillespie and Count Basie, electrified and conquered a crowd in Théâtre St-Denis. In this memorable concert, Vaughn revivified the greatest standards in her repertoire with her deep, sensual voice. Standing ovations followed.

Van **Morrison**

L'homme est très peu médiatisé et pourtant l'artiste a bâti une carrière monumentale et inspiré les Ray Charles, Cassandra Wilson et Jeff Buckley de ce monde. Sa musique est souvent présentée comme une étrange synthèse entre le rock, le jazz et la poésie. Sur scène, il impose le respect.

Though he shies away from media coverage, Van Morrison has built a monumental career, inspiring artists as diverse as Ray Charles, Cassandra Wilson and Jeff Buckley. His music is an utterly singular synthesis of rock, jazz, soul and poetry. Onstage, he is a figure who earns the utmost respect from his audience.

2007, Salle Wilfrid-Pelletier de la Place des Arts

2006, Salle Wilfrid-Pelletier de la Place des Arts

Paul **Simon**

Pour beaucoup, c'est le Paul Simon de Simon and Garfunkel, duo mythique des années 60. Depuis 1971, Paul Simon poursuit une carrière en solo. Son passage à Montréal, en 2006, ne passe pas inaperçu et l'hommage que lui ont rendu Ariane Moffatt, Michel Rivard, et Zachary Richard la même année — un concert immortalisé sur disque compact — a relancé l'imaginaire des plus nostalgiques.

For many, he remains the Paul Simon of Simon & Garfunkel, the legendary '60s folk-rock duo. Yet since 1971, Paul Simon has been a world-conquering solo artist. His 2006 Montreal performance and the tribute concert that same year by Ariane Moffatt, Michel Rivard and Zachary Richard—immortalized on a CD—rekindled the sweetest kind of nostalgia.

Paco **de Lucia**

1994, Théâtre du Forum de Montréal

Sans nul doute le meilleur ambassadeur de la culture espagnole dans le monde. Le flamenco ne serait pas ce qu'il est aujourd'hui sans la guitare flamenca de Paco de Lucia. En 1994, le Festival l'accueille à bras ouverts. Le public est conquis par le Maître.

He is without a doubt the foremost ambassador of Spanish culture in the world today. Flamenco would not be where it is without the guitar of Paco de Lucia. In 1994, the Festival welcomed him with open arms, and an audience was conquered by this six-string master.

John **McLaughlin**

2001, Salle Wilfrid-Pelletier de la Place des Arts

En 2001, un doux vent d'exotisme souffle sur le Festival. Le virtuose de la guitare John McLaughlin est assis en tailleur sur la scène de la Salle Wilfrid-Pelletier au côté de Zakir Hussain, le maître du tabla. Vingt-cinq ans plus tôt, les deux artistes avaient osé marier la musique traditionnelle de l'Inde avec le jazz et partager cette découverte avec le public au sein de la mythique formation Shakti qui renaissait occasionnellement de ses cendres.

In 2001, a gentle, exotic breeze blows over the Festival. Guitar virtuoso John McLaughlin sits cross-legged onstage in Salle Wilfrid-Pelletier alongside Zakir Hussain, master of the tabla. Twenty-five years earlier, the two artists had dared to fuse traditional Indian music with jazz, and shared their discovery with their audience in the legendary group Shakti, which occasionally rises reborn from the ashes of its past.

Bernard **Primeau**

Guy **Nadon**

2004, Gesù – Centre de créativité

2004, Théâtre Maisonneuve de la Place des Arts

Batteur d'exception, il fut sans conteste un des piliers du jazz québécois. Le Montréalais Bernard Primeau (1939-2006) s'est régulièrement produit au Festival, a donné plus de 500 concerts en deux décennies en Amérique du Nord et en Europe avec son propre ensemble après avoir notamment fait partie du trio d'Oliver Jones.

An exceptional drummer, he was undeniably one of the pillars of Quebec jazz. Montrealer Bernard Primeau (1939-2006) appeared regularly at the Festival, and performed more than 500 concerts over two decades in North America and Europe with his own group, after having been a member of Oliver Jones' trio.

Vingt-sept participations au Festival ! Un record. Le batteur montréalais Guy Nadon est une légende vivante du jazz québécois. L'amour de « Ti-Guy » pour la musique et pour le jazz en particulier dure depuis maintenant 60 ans.

A record twenty-seven Festival appearances! Montreal drummer Guy Nadon is a living legend of Québec jazz. "Ti-Guy's" love for music and for jazz in particular has endured now for 60 years.

Vic **Vogel**

2004, Place des Nations

À l'instar de son compatriote Guy Nadon, le coloré Vic Vogel est un incontournable sur la scène du jazz québécois. Le pianiste et compositeur montréalais né de parents hongrois s'est imposé comme un musicien influent dès les années 60. Seul artiste à avoir participé à toutes les éditions du Festival, il se produit seul ou en compagnie d'invités prestigieux, offrant chaque fois des moments de musique mémorables et hauts en couleur !

Like his compatriot Guy Nadon, the colourful Vic Vogel is an essential element of the Québécois jazz scene. Born to Hungarian parents, the Montreal pianist and composer established himself as an influential musician in the '60s. The only artist to have participated in every edition of the Festival, he has performed solo or in the company of prestigious guests, delivering a full spectrum of memorable musical moments.

Michel **Donato**

2008, Gesú – Centre de créativité

Contrebassiste à la technique parfaite, sans conteste l'un des meilleurs musiciens de jazz canadien, le Montréalais Michel Donato est rarement absent du Festival. Le parcours de cet artiste raffiné est exemplaire : il a joué au côté d'Oscar Peterson au sein de son trio, avec Bill Evans, formé un duo populaire avec la chanteuse Karen Young, il a accompagné la pianiste Lorraine Desmarais ou encore Oliver Jones. Michel Donato est une figure emblématique du Festival et du jazz.

A double bassist with perfect technique, incontestably one of Canada's finest jazz musicians, Montrealer Michel Donato rarely misses the Festival. A refined artist with an exemplary résumé, he played alongside Oscar Peterson in his trio, and with Bill Evans; formed a popular duo with singer Karen Young, and accompanied pianists Lorraine Desmarais and Oliver Jones. Michel Donato is an iconic figure at this Festival and in jazz itself.

1992, Salle Wilfrid-Pelletier de la Place des Arts

Colin **James**

Influencé très jeune par le blues, la musique folk et traditionnelle, le guitariste Colin James voit sa carrière décoller sous l'impulsion de Stevie Ray Vaughan, en 1985. Depuis, l'artiste canadien poursuit une belle route jalonnée de beaux succès. Les festivaliers découvrent le son énergique de sa guitare pour la première fois en 1992.

Influenced at a young age by blues, folk and traditional musics, guitarist Colin James' career takes off under the impetus of Stevie Ray Vaughan in 1985. Since then, the Canadian artist has enjoyed a varied and successful musical journey. Festival fans first discovered his energetic style during a 1992 performance.

2004, Métropolis

2004, Spectrum de Montréal

2001, Théâtre Maisonneuve de la Place des Arts

Patricia **Barber**

La pianiste et chanteuse américaine Patricia Barber s'est fait connaître du grand public en 1994 avec son album *Cafe Blue*. Le jazz accueillait alors une nouvelle voix féminine, une voix suave et sombre. Le jazz de Patricia Barber est fait d'émotion et de sensualité.

American pianist and singer Patricia Barber burst through to the mass audience in 1994 with the album Cafe Blue*. The jazz world embraced a new female voice, suave, intelligent and bluesy. Patricia Barber's jazz hums with emotion and sensuality.*

Michael **Brecker**

Stéphane **Grappelli**

2001, Monument-National

1984, Spectrum de Montréal

Saxophoniste américain de jazz-fusion, Michael Brecker (1949-2007) était réputé pour l'excellence de son improvisation. Dans le sillage du groupe Weather Report, il forme le groupe Brecker Brothers avec son frère Randy. Outre de nombreux enregistrements en solo, Michael Brecker a collaboré avec Steely Dan, Frank Zappa ou encore Dire Straits.

American jazz-fusion saxophonist Michael Brecker (1949-2007) was renowned for the excellence of his improvisation. In the wake of Weather Report, he formed the Brecker Brothers group with his brother, Randy.Along with his many solo recordings, Michael Brecker also collaborated with Steely Dan, Frank Zappa and Dire Straits.

Les cordes du violon du Français Stéphane Grappelli (1908-1997) ont commencé à vibrer avec le succès, en France, en 1934, au côté de Django Reinhardt. Dans les années 50, sa carrière prend une nouvelle tournure. Le violoniste cumule les tournées dans le monde entier et les complicités avec des artistes de renom, dont Oscar Peterson, Steve Coleman, Didier Lockwood, McCoy Tyner et Claude Bolling.

France's Stéphane Grappelli (1908-1997) and his violin first soared to success in his native country in 1934, alongside Django Reinhardt. In the '50s, the violinist's career took a new turn, racking up successive worldwide tours and performing with renowned artists including Oscar Peterson, Steve Coleman, Didier Lockwood McCoy Tyner and Claude Bolling. His violin bewitched Festival fans in 1984: the sound of elegance in its purest state.

John **Pizzarelli**

Michel **Petrucciani**

2004, Théâtre Maisonneuve de la Place des Arts

1984, Bibliothèque Nationale

Au début de sa carrière, avec son trio, le chanteur et guitariste John Pizzarelli a assuré les premières parties de Frank Sinatra. Quelques années plus tard, il lui rendra hommage avec l'album Dear Mr. Sinatra. John Pizzarelli s'est également illustré, notamment au Festival, en reprenant des œuvres de Cole Porter, de Nat « King » Cole et des Beatles.

At the outset of his career, singer and guitarist John Pizzarelli and his trio opened shows for Frank Sinatra. A few years later, he paid tribute to Ol' Blue Eyes with the album Dear Mr. Sinatra. Pizzarelli has also distinguished himself with his interpretations of Cole Porter, Nat "King" Cole and the Beatles, as Festival fans can happily attest.

Son swing inimitable et le lyrisme de ses ballades ont subjugué les fans de jazz. Au sommet de son art, le pianiste Michel Petrucciani (1962-1999) est emporté très tôt par la maladie osseuse qui le ronge depuis sa naissance. Il a laissé une marque indélébile au Festival lors de son concert à la Bibliothèque nationale, en 1984, et lors de quelques éditions plus tard au Théâtre St-Denis.

His inimitable swing and the lyricism of his ballads conquered the jazz world. At the summit of his art, pianist Michel Petrucciani (1962-1999) was taken too soon from us by the genetic bone disease that had ravaged him since birth. He left an indelible mark on the Festival with his concerts at the Bibliothèque nationale in 1984 and, a few editions later, in Théâtre St-Denis.

2003, Salle Wilfrid-Pelletier de la Place des Arts

Norah **Jones**

2003, Salle Wilfrid Pelletier. Sur scène, un piano, un micro et une voix... la voix de Norah Jones. Les festivaliers sont sous le charme. Un an plus tôt, la chanteuse américaine sortait son premier album, *Come Away with Me*, qui remportait un énorme succès, et se produisait, pour la première fois, au Club Soda. Depuis, la simplicité, la beauté et la voix de Norah Jones, bercée depuis sa plus tendre enfance par le soul et le jazz, subjuguent un vaste public.

2003, Salle Wilfrid-Pelletier. Onstage, a piano, a microphone, and a voice... the voice of Norah Jones. A Festival succumbs to her charms. A year earlier, the American singer had released a debut album, Come Away With Me*, to enormous success, followed by a debut performance in Club Soda. Since then, the simplicity, beauty and voice of Norah Jones, raised since childhood on soul and jazz, have conquered a vast audience.*

B.B. **King**

Lorsque Blue Boy King, plus communément appelé B.B. King, ferme les yeux, c'est pour mieux nous illuminer par sa musique ! B.B. King se passionne très jeune pour le blues en écoutant les guitaristes T-Bone Walker et Lonnie Johnson. Depuis ses premiers enregistrements en direct à la radio, à Memphis, en 1943, B.B. King enchaîne les albums et la scène à un rythme soutenu. Les succès s'accumulent. En 1989 avec Georges Benson, en 1995 avec Buddy Guy ou encore en 2006 avec Éric Clapton, B.B. King surprend les festivaliers par la vitalité de son jeu. Il a amplement mérité son statut de meilleur guitariste de blues.

When Blue Boy King—more commonly known as B.B.—closes his eyes to play his guitar, he opens our ears! B.B. King discovered the blues very early on, listening to T-Bone Walker and Lonnie Johnson. Since his first live radio recordings in Memphis in 1943, King has kept up an uninterrupted rhythm of album releases and live performances. In 1989 with George Benson, in 1995 with Buddy Guy and again in 2006 with Eric Clapton, B.B. King surprised Festival fans with the enduring vitality of his play. He has amply earned the title of greatest blues guitarist.

B.B. King et Buddy Guy, 1995
Forum de Montréal

2006, Salle Wilfrid-Pelletier de la Place des Arts

1997, Métropolis

Buddy **Guy**

Disciple de B.B. King, propulsé par Otis Rush, le Louisianais Buddy Guy fait partie de la légende du blues. En 1995 et en 2007, au Festival, ses admirateurs sont fidèles au rendez-vous. Les prestations qu'il donne ont du panache!

A disciple of B.B. King, driven forward by a mythical guitar duel with Otis Rush, Louisianan Buddy Guy is now part of blues legend. In 1995 and 2007, his Festival fans flocked to his shows here, and small wonder—Buddy Guy is an electrifying performer!

2007, Métropolis

2007, Métropolis

George **Thorogood**

2007, sur la scène du Métropolis, l'ambiance est électrique. La guitare de George Thorogood vibre énergiquement au son du blues et du rock. Les puristes ne peuvent qu'apprécier la prestation de cet artiste qui cumule presque 40 ans de carrière.

2007, and the ambience in the Métropolis is electric. George Thorogood's guitar cuts through the darkness, bristling with the power of the blues and rock'n'roll. Purists in the crowd can only marvel at the performance delivered by this artist almost 40 years into his career.

Brian **Setzer**

Les Stray Cats, c'était lui. Dans les années 80, Brian Setzer a donné au rockabilly ses lettres de noblesse. Brian est reconnu pour la virtuosité de son jeu de guitare. En concert, ça déménage. Usant et abusant du vibrato Bigsby, la guitare s'est permis de réinventer le son rockabilly. Sa performance, en 1995 lors de son passage au Festival, n'est pas passée inaperçue. C'est sans conteste un des guitaristes actuels des plus dynamiques au monde !

He was the Stray Cats, and during the '80s, Brian Setzer gave rockabilly its pedigree. Renowned for his virtuoso guitar playing, using and abusing his Bigsby vibrato tailpiece, he reinvented the sound of the music—and Setzer's concerts rock out to this day. His 1995 performance at the Festival with the Brian Setzer Orchestra reminded us all that he remains one of the most dynamic guitarists in the world!

1995, Spectrum de Montréal

1992, Salle Wilfrid-Pelletier de la Place des Arts

John Lee **Hooker**

Guitariste et chanteur de blues américain, John Lee Hooker (1917-2007) est un des musiciens les plus influents dans l'histoire du blues et du rock du 20e siècle. Son style rudimentaire, proche de la parole, est devenu sa marque de commerce. John Lee Hooker connaîtra la gloire dans les années 60 grâce aux Rolling Stones, à Éric Clapton ou encore à John Mayall qui remettent le blues au goût du jour en sortant de l'oubli des musiciens de légende.

American blues singer and guitarist John Lee Hooker (1917-2007) was one of the most influential musicians in the history of 20th century blues and rock. His primal, hypnotic half-spoken singing style would become his iconic trademark. John Lee Hooker enjoyed glorious success in the '60s thanks to the Rolling Stones, Eric Clapton and John Mayall, who revived blues for a young audience and brought its legendary African-American progenitors out of the shadows of neglect.

Michael **Bublé**

2005, Salle Wilfrid-Pelletier de la Place des Arts

Inspiré par la collection de disques compacts de son grand-père, le Canadien Michael Bublé a toujours voulu être un chanteur. Son vœu se réalisera. Sa carrière d'interprète décolle en 2003 avec la sortie de son premier album éponyme qui remporte un franc succès au Canada et au Royaume-Uni. Deux ans plus tard, le Festival l'invite à se produire à la Place des Arts. Accompagné d'un big band, Michael Bublé affirme son statut de crooner devant une foule conquise.

Inspired by his grandfather's CD collection, Canadian Michael Bublé always wanted to be a singer. His dream came true, with career liftoff in 2003 on the wings of a self-titled debut album that became a smash in Canada and the UK. Two years later, the Festival invited him to perform in Place des Arts. Accompanied by a big band, Michael Bublé affirmed his status as a crooner of the first rank before a spellbound crowd.

Paul **Anka**

2005, Salle Wilfrid-Pelletier de la Place des Arts

Chanteur canadien d'origine libanaise, Paul Anka flirte avec les succès dès la fin des années 50. *Diana* est encore, à ce jour, le 45 tours le plus vendu de l'histoire de la musique, à 9 millions d'exemplaires ! Aimé de tous les publics, Paul Anka a également écrit pour Frank Sinatra, Sylvie Vartan, Mireille Mathieu ou encore Tom Jones.

A legendary Canadian singer of Lebanese descent, Paul Anka first flirted with success in the late '50s; his classic Diana *remains, to this day, the biggest hit single of all time at 9 million copies sold! Beloved wherever he goes, Anka also wrote songs for Frank Sinatra, Sylvie Vartan, Mireille Mathieu and Tom Jones.*

Chick **Corea**

2004, Monument-National

Le claviériste américain était là en 1980, à la toute première édition du Festival, avec son complice Gary Burton. Chaque fois, l'artiste, passionné par le piano électrique et qui a longtemps joué au côté de Miles Davis, surprend par sa musique fusionnelle. En 2008, il revient sur la scène du Festival avec Return To Forever, formation qu'il avait créée avec la bassiste Stanley Clarke en 1971.

The American keyboardist was here in 1980 for the very first edition of the Festival, with his confederate Gary Burton. With each appearance, this passionate proponent of electric piano, a long-time associate of Miles Davis, surprises fans with his musical fusion. In 2008, he returned to the Festival with Return To Forever, the group he founded in 1971 with bassist Stanley Clarke.

Erik **Truffaz**

Jesse **Cook**

2005, Spectrum de Montréal

2004, Métropolis

Avec un style très proche de celui de Miles Davis, la musique du trompettiste suisse Erik Truffaz est un métissage des genres. En 2001, son album électro *Erik Truffaz revisité* lui apporte la consécration. Les festivaliers le découvrent pour la première fois en 2005.

With a style very reminiscent of Miles Davis, the music of Swiss trumpeter Erik Truffaz is a fusion of genres. In 2001, his remix album Erik Truffaz revisité *was showered with accolades. Festival fans welcomed him for the first time in 2005.*

L'énergie que ce guitariste canadien dégage sur scène est incroyable. Dans ses compositions jazz, Jesse Cook n'hésite pas à intégrer la musique latine et la musique du monde. Le musicien ne cache pas son engouement pour la musique des Gipsy Kings, qui lui ont donné envie de s'orienter vers les rythmes flamencos. Aujourd'hui, il est un digne représentant du nouveau flamenco.

This Canadian guitarist unleashes an astonishing energy in every performance. Jesse Cook integrates latin and world music into his jazz compositions, and has never hidden his passion for the music of the Gipsy Kings, who inspired his turn towards flamenco rhythms. Today, he is a most worthy ambassador for the new flamenco sound.

Charlie Haden et Egberto Gismonti en répétition, 1989
Salle Marie-Gérin-Lajoie

Charlie **Haden**

Un des meilleurs contrebassistes de jazz américain, un habitué du festival. Depuis ses débuts avec le quartette Ornette Coleman à la fin des années 50, puis avec le premier trio du pianiste Keith Jarrett, Charlie Haden s'est bâti une réputation solide dans le milieu du jazz contemporain. Musicien hors pair, l'homme est aussi connu pour ses engagements politique et social.

He is one of the greatest American double bassists in jazz, and a Festival regular. Beginning with his debut in the Ornette Coleman quartet in the late '50s, through his play with pianist Keith Jarrett's first trio, Charlie Haden has built a solid reputation in contemporary jazz. A peerless musician, he is also known for his political and social conscience and engagement.

1992, Salle Wilfrid-Pelletier de la Place des Arts

Gonzalo Rubalcaba, 1987
Spectrum de Montréal

1992, Cinquième Salle de la Place des Arts

Dave **Holland**

Autodidacte, le contrebassiste Dave Holland est très vite remarqué par Miles Davis, qui l'engage au sein de sa formation pour remplacer Ron Carter. Dave enregistrera son premier album en tant que leader en 1972 et joindra la formation d'avant-garde Circle, aux côtés notamment de Chick Corea. En 1990, le Festival l'invite pour le concert d'ouverture avec Jack DeJohnette, Pat Metheny et Herbie Hancock. En 2000, il composera un duo avec le guitariste Jim Hall, toujours pour le Festival, à l'occasion d'une carte blanche.

A self-taught musician, double bassist Dave Holland was quickly noticed by Miles Davis, who drafted him into his group to replace Ron Carter. Holland recorded his first album as a bandleader in 1972 and joined avant-garde group Circle, playing alongside Chick Corea. In 1990, the Festival invited him for its opening concert, in the company of Jack DeJohnette, Pat Metheny and Herbie Hancock. In 2000, he returned to the Festival for a stirring performance with guitarist Jim Hall.

2005, Théâtre Maisonneuve de la Place des Arts

1998, Théâtre du Nouveau Monde

John Scofield avec Jim Hall, 1998
Théâtre du Nouveau Monde

John **Scofield**

Réputé pour sa liberté d'esprit et son ouverture musicale, le guitariste John Scofield a vu sa carrière décoller en 1982 grâce à Miles Davis. Tout au long de son parcours, il a côtoyé les plus grands jazzmen comme Pat Metheny, Jim Hall, Chick Corea ou encore Herbie Hancock. Les festivaliers sont conquis lors de ses diverses participations, notamment en 1998, 2001 et 2007, par son style jazz et fusion de rock, de funk et de soul.

Renowned for his free spirit and musical open-mindedness, guitarist John Scofield saw his career take off in 1982 thanks to his involvement with Miles Davis. Throughout his musical journey, Scofield has played alongside giants of jazz including Pat Metheny, Jim Hall, Chick Corea and Herbie Hancock. Festival fans have fallen for his jazz style, fused with rock, funk and soul, over the course of multiple appearances in 1998, 2001 and 2007.

JAZZ

2008, Loges du Théâtre Maisonneuve de la Place des Arts

2005, Salle Wilfrid-Pelletier de la Place des Arts

Omara **Portuondo**

Dans la loge du Théâtre Maisonneuve de la Place des Arts, Omara Portuondo s'amuse avec l'objectif de l'appareil photo. La chanteuse cubaine aime le jeu et sa joie de vivre est contagieuse. Omara Portuondo est une chanteuse autant à l'aise dans le son cubain que dans le *filin*, le boléro et le jazz. Membre du Buena Vista Social Club depuis 1996, elle poursuit également une carrière solo jalonnée de succès. Omara Portuondo séduit par sa présence charismatique sur scène, sa maîtrise parfaite du chant et son sens du jeu.

In the loge in Théâtre Maisonneuve, Place des Arts, Omara Portuondo amuses herself with a camera lens. The playful singer is the grande dame of Cuban music, and her joie de vivre is contagious. Omara Portuondo is a singer as comfortable with the Cuban sound as she is with filin, bolero and jazz. A member of the Buena Vista Social Club since 1996, she has also enjoyed a successful solo career. Portuondo charms with her charismatic stage presence, perfect vocal control, and playful sensibility.

Ibrahim Ferrer, 2001
Spectrum de Montréal

Compay Segundo, 1998
Coulisses du Spectrum de Montréal

Cesaria **Evora**

La diva aux pieds nus, Cesaria Evora, a fait connaître la morna, musique traditionnelle du Cap-Vert, dans le monde entier. Son succès, elle le doit en grande partie à son mentor, José da Silva. En 1995, Cesaria est invitée pour la première fois au Festival. Depuis, la chanteuse capverdienne est devenue incontournable. Son nom n'évoque pas seulement l'exotisme de la musique des îles : il évoque aussi la grande générosité de cette artiste unique.

Cesaria Evora, the Barefoot Diva, brought the world's attention to morna, the traditional music of Cape Verde. She owes her success in large part to José da Silva, her mentor. In 1995, Cesaria was invited to the Festival for the first time; since then, the Cape Verdean singer has become a must-see. Her name does more than evoke the exoticism of the islands: it reminds us of the great generosity of a truly unique artist.

1995, Spectrum de Montréal

2001, Salle Wilfrid-Pelletier de la Place des Arts

1995, Spectrum de Montréal

2007, Salle Wilfrid-Pelletier de la Place des Arts

1988, Théâtre St-Denis

Youssou **N'Dour**

À l'instar de Johnny Clegg, l'artiste sénégalais Youssou N'Dour n'a jamais caché son engagement pour lutter contre la pauvreté en Afrique. Le petit prince de Dakar connaît son premier succès planétaire en 1994 avec son album *The Guide* et le célèbre duo avec Neneh Cherry, *Seven Seconds*. En 1988 puis en 2004 avec le Cirque du Soleil, Youssou N'Dour répandra sur le Festival un souffle d'exotisme : grâce à lui la musique sénégalaise s'est ouverte sur le monde.

Like Johnny Clegg before him, Senegalese artist Youssou N'Dour has never hidden his dedication to the struggle against poverty in Africa. The prince of Dakar first tasted worldwide success in 1994 with his album The Guide *and its famed duet with Neneh Cherry, the single* Seven Seconds. *In 1988, and with Cirque du Soleil in 2005, N'Dour brought his mbalax exoticism to the Festival: thanks to him, Senegal is on the world's musical radar.*

2004
Grand événement — site du Festival

2004, Événement de clôture — site du Festival

1988, Site du Festival

Johnny **Clegg**

Par deux fois, en 1988 et en 2004, le Zoulou blanc a attiré la foule des grands soirs sur le site du Festival. La tornade Johnny Clegg et son groupe Savuka ont entonné leurs hymnes à la liberté et contre l'Apartheid. Sur scène, ça chante, mais surtout ça danse, ça bouge de partout. Artiste engagé, Johnny Clegg fait mouche à chacun de ses passages.

On two occasions, in 1988 and 2004, the White Zulu drew massive crowds to the Festival site. Montreal felt the tornado known as Johnny Clegg and his group Savuka, exulting in their anti-Apartheid hymns to freedom. This is music that moves, a resoundingly physical experience that communicates the dance impulse from the stage to every corner of the audience. A true "artiste engagé", Johnny Clegg hits the bullseye with every performance here.

2008, Grand événement — site du Festival

Bran Van **3000**

2008, une foule compacte envahit le site du Festival. Le DJ montréalais James Di Salvio est attendu sur la grande scène extérieure avec ses musiciens et ses collaborateurs regroupés au sein du collectif Bran Van 3000. Onze ans déjà que le collectif ne s'est pas produit sur une des scènes du Festival. La foule trépigne d'impatience. Les bras sont levés bien haut dans le ciel. Lorsque le collectif déboule sur scène, c'est l'euphorie. James Di Salvio et ses acolytes ont offert, sous un des plus beaux ciels étoilés de l'été, un spectacle rythmé et hautement coloré.

Summer 2008: a crowd descends on the Festival site. Montreal DJ James Di Salvio takes to the main outdoor stage with his musicians and collaborators, bringing Bran Van 3000 to life. Eleven years have passed since the group last performed at the Festival. Fans stamp their feet with anticipation. Arms are raised aloft. And when the BV3K collective bursts forth onstage, euphoria reins. James Di Salvio and his accomplices deliver a beat-driven technicolour spectacle under a sublimely starry summer night sky.

James Di Salvio, leader du collectif musical
2008, Grand événement — site du Festival

2000, Centre Molson

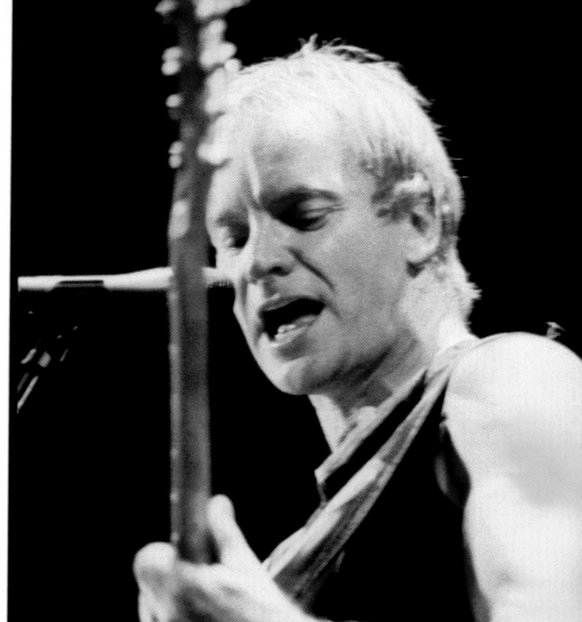

2000, Centre Molson

JULY 4, 2000 • MOLSON CENTER SETLIS

1. A THOUSAND YEARS
2. IF YOU LOVE SOMEBODY SET THEM FR
3. AFTER THE RAIN HAS FALLEN
4. WE'LL BE TOGETHER
5. PERFECT LOVE... GONE WRONG
6. ALL THIS TIME
7. SEVEN DAYS
8. FILL HER UP
9. FIELDS OF GOLD
10. [illegible]TTLE THING SHE DOES IS
11. MOON OVER BOURBON STREET
12. TOMORROW WE'LL SEE
13. ENGLISHMAN IN NEW YORK
14. BRAND NEW DAY
15. ROXANNE
16. DESERT ROSE
17. BRING ON THE NIGHT / WHEN TH
18. RUNNING DOWN YOU MAKE THE BES
STILL AROUND

Sting

Sa rencontre avec Stewart Copeland et Andy Summers sera déterminante et donnera naissance au mythique groupe The Police. Le chanteur et bassiste Sting est déjà une star lorsqu'il décide de poursuivre sa carrière en solo. Sa pop éclectique ratisse un large public. En 2000, aux portes du Centre Molson, c'est la bousculade. Sting est acclamé par des festivaliers aux anges.

His fateful meeting with Stewart Copeland and Andy Summers would give the world a legendary group, The Police. Singer and bassist Sting was already a star when he decided to pursue a solo career. His eclectic pop would find a large audience, confirmed by the mad rush at the doors that greeted his 2000 performance at the Centre Molson, and the wild acclaim that followed.

ALCAN
FESTIVAL

LE GRAND ÉVÉNE
GENERAL MOTO

Hommage à la musique du Cirque du Soleil, 1995
Site du Festival

Double anniversaire avec **Le Cirque du Soleil**

En 1995, des milliers de paires d'yeux fixent le ciel étoilé. Les acrobates du Cirque du Soleil défient toutes les lois de la gravité dans un ballet aérien majestueux ! Cette année-là, le Festival rend hommage à la musique du Cirque du Soleil. La foule est complètement sous le charme. En 2004, c'est l'apothéose ! Le Festival fête ses 25 ans et le Cirque du Soleil, ses 20 ans. Plus de 200 000 spectateurs se massent sur le site du Festival — un record — pour assister à l'époustouflant *Soleil de Minuit*. Youssou N'Dour, Daniela Mercury, Paul Amharani sont de la fête. Le public succombe, exulte, explose de joie…

In 1995, thousands of pairs of eyes turn up towards a starry sky, where Cirque du Soleil acrobats are defying the laws of gravity in a majestic aerial ballet! That year, the Festival paid tribute to the music of Cirque du Soleil, putting a crowd under its spell. And in 2004, the crowning moment: the Festival celebrates its 25th anniversary, while the Cirque celebrates its 20th. Over 200,000 spectators gather on the Festival site—a record—to witness the astonishing Soleil de Minuit. *Youssou N'Dour, Daniela Mercury, Paul Amharani join the festivities. Fans swoon, exult, burst with joy…*

Susie **Arioli**

2006, Spectrum

Encore méconnue du public, Susie Arioli va créer la surprise au Festival en assurant la première partie du concert de Ray Charles en 1998. Avec le guitariste Jordan Officer, la chanteuse a acquis depuis une formidable réputation au Canada et à l'international en séduisant, par la sincérité de ses interprétations, un public de plus en plus large.

Still unknown by the public, Susie Arioli will surprise everyone at the Festival when she opened for Ray Charles in 1998. With guitarist Jordan Officer, Susie Arioli has since acquired a great reputation in Canada and abroad and attracted a wide audience through the sincerity of her performances.

Bet.e

2005, Salle Wilfrid-Pelletier de la Place des Arts

En 2003, le duo Bet.e & Stef se sépare. Deux ans plus tard, la chanteuse montréalaise associée à la bossa-nova, Bet.e, accompagnée du guitariste cubain Carlos Placeres, remonte sur les planches de la Salle Wilfrid-Pelletier et donne l'un de ses premiers concerts marquant le début d'une carrière solo prometteuse.

In 2003, the duo of Bet.e & Stef went their separate ways. Two years later, Montreal singer Bet.e, identified mainly with the bossa nova, was joined by Cuban guitarist Carlos Placeres for a concert in Salle Wilfrid-Pelletier, one of the first appearances in a promising solo career.

Lhasa de Sela

Ariane **Moffatt**

2004, Théâtre du Nouveau Monde

2004, Métropolis

À 13 ans, Lhasa chantait du jazz dans les cafés de San Francisco. Aujourd'hui, la chanteuse américano-mexicaine a mis sa voix grave et profonde au service d'une musique métissée, mélange de musique traditionnelle mexicaine, de klezmer et de rock.

At age 13, Lhasa sang jazz in the cafés of San Francisco. Today, the Mexican-American singer puts her deep, sensual voice to the service of a musical fusion of traditional Mexican music, klezmer and rock.

Claviériste et choriste sur la tournée *Rêver mieux* de Daniel Bélanger, la chanteuse québécoise Ariane Moffatt a très vite connu le succès avec son premier album, *Aquanaute*, en 2002. En 2004, elle se produit pour la première fois au Festival au Métropolis. Elle reviendra en 2006 pour se joindre à Colin James, Michel Rivard, Bedouin Soundclash pour un hommage à Paul Simon.

Keyboardist and backing vocalist on Daniel Bélanger's Rêver mieux *tour, Quebec singer Ariane Moffatt rose swiftly to success with her debut album,* Aquanaute, *in 2002. In 2004, she makes her first Festival appearance at the Métropolis. In 2006, she joined a cast including Colin James, Michel Rivard and Bedouin Soundclash for the Festival's tribute concert to Paul Simon.*

2005, Grand événement — site du Festival

DJ Champion
2005, Grand événement — site du Festival

Champion et ses G-Strings

Le Montréalais Maxime Morin alias DJ Champion est un habitué des bains de foule et des événements d'envergure. En 2005, avec ses G-Strings, les festivaliers trépignent d'impatience sur le site du festival. Ils veulent goûter à l'énergie contagieuse d'un DJ qui a su marier avec ingéniosité la musique électro et le rock ! DJ Champion, fidèle à sa réputation, a réussi une fois de plus, sous une pluie de ballons multicolores, à faire tourner les têtes et à faire danser les corps.

Montreal's Maxime Morin, aka DJ Champion is well accustomed to massive crowds and large-scale events. In 2005, fans stamped their feet impatiently, waiting for him to lead the G-Strings onstage and electrify the Festival site with his ingenious fusion of electronica and rock power! In keeping with his reputation, DJ Champion succeeded once again. Turning heads and shaking booties under a shower of muilticoloured balloons.

1
2
3
8
9
10

1- Gotan Project, 2003, Métropolis **2- Puppini Sisters, 2007**, Club Soda **3- Monica Freire, 2006**, Club Soda **4- Ojos de Brujo, 2005**, Métropolis **5- Ani DiFranco, 2004**, Métropolis **6- Florence K, 2007**, Théâtre du Nouveau Monde **7- Pink Martini, 2007**, Salle Wilfrid-Pelletier **8- Antoine Gratton, 2007**, Site du Festival **9- Alice Russell, 2008**, Club Soda **10- Sarah Slean, 2008**, Théâtre Maisonneuve **11- Yael Naim, 2008**, Théâtre Maisonneuve **12- Herbalizer, 2005**, Métropolis **13- Laurent De Wilde, 2001**, Métropolis

Feist, 2005
Spectrum de Montréal

Amy Winehouse, 2004
Club Soda

Nikki Yanofsky, 2007
Cinquième salle de la Place des Arts

Manu **Chao**

Figure majeure du rock français, ex-leader du groupe Mano Negra, le chanteur et musicien Manu Chao a répandu un vent de folie subtilement latine sur le Festival : la première fois en 2001 au Métropolis et la deuxième fois, avec son groupe Radio Bemba au Parc Jean-Drapeau en 2007. Capable de chanter en français, en galicien, en portugais, en espagnol, en anglais, en arabe et même en wolof, Manu Chao est un artiste hors norme qui jouit d'une très grande popularité sur la scène internationale.

A major figure in French rock, former leader of Mano Negra, singer and musician Manu Chao brought a subtly Latin madness to the Festival: first, in 2001 in the Métropolis and then with his group Radio Bemba at Parc Jean-Drapeau in 2007. Singing in French, Galician, Portuguese, Spanish, English, Arabic and even Wolof, Manu Chao is a singular artist who now enjoys massive popularity on the international stage.

2007, Parc Jean-Drapeau

2001, Métropolis

07/07/01
17HOO
3527
PARC JEAN DRAPEAU
et le FIJM présentent
MANU CHAO
BEMBA SOUND SYSTEM
JUILLET 2007 à 17h - PORTES 15h
BEAU TEMPS, MAUVAIS TEMPS
=$37.50

2007, Parc Jean-Drapeau

Dawn Tyler **Watson**

Joseph **Arthur**

2005, Gesú – Centre de créativité

2008, Loges du Club Soda

La chanteuse montréalaise de jazz et de blues Dawn Tyler Watson se produit régulièrement au Festival. Musicienne accomplie, sa carrière est ponctuée de prestigieuses récompenses. Elle a partagé la scène avec des artistes de renom tels que Steve Hill, Bob Walsh, Colin James et plus récemment avec Paul Deslauriers.

Montreal jazz and blues singer Dawn Tyler Watson appears regularly at the Festival. An accomplished musician, she has fashioned her many influences into a prestigious and award-winning career. She has shared the stage with such renowned artists as Steve Hill, Bob Walsh, Colin James and most recently with Paul Deslauriers.

Repéré en 1996 par Lou Reed et Peter Gabriel, le chanteur pop-rock américain, Joseph Arthur a imposé un style musical qui lui est propre. Spécialiste de l'oversampling, il triture les sons à l'aide de nombreux effets jusqu'à obtenir une chanson unique.

In 1996, Lou Reed and Peter Gabriel were early fans, drawn by the style that has made American pop-rock auteur Joseph Arthur a singular musical voice. A master of oversampling, he uses numerous effects to treat sounds until they result in an utterly unique song.

Bebel **Gilberto**

Jamie **Cullum**

2001, Spectrum de Montréal

2006, Théâtre Maisonneuve de la Place des Arts

Fille du mythe vivant João Gilberto, Bebel Gilberto a incontestablement rajeuni, sans la révolutionner, la bossa-nova. En 2000, Bebel Gilberto sort le très acclamé album *Tanto Tempo*. C'est la consécration pour cette talentueuse chanteuse. En 2001, le public du Festival l'accueille à bras ouverts.

Daughter of living legend João Gilberto, Bebel Gilberto has undeniably revivified and updated the bossa nova tradition. In 2000, Gilberto released the acclaimed album Tanto Tempo*, confirming her arrival on the world stage. The following year, a Festival audience welcomed her with open arms.*

Chanteur et pianiste de jazz anglais, à 15 ans, Jamie Cullum comptait déjà plus de 1000 concerts à son actif. Son passage en 2006 au Festival atteste de la vitalité de la nouvelle génération de jazzmen.

By age 15, English jazz singer and pianist Jamie Cullum already counted more than 1000 concerts to his credit. His performance at the Festival in 2006 attested to the vitality of a new generation of jazzmen.

Melody **Gardot**

Polytraumatisée à la suite d'un accident de la route à l'âge de 19 ans, Melody Gardot doit son salut à la musique et au jazz. Ses premières chansons ont été écrites sur son lit d'hôpital. Trois ans plus tard, la voix sensuelle de cette jeune artiste américaine subjugue le public du Théâtre du Nouveau Monde. La jeune femme chante un jazz populaire mâtiné de jazz et de folk. Elle émeut avec des textes profonds et chaleureux. Melody Gardot est en route vers le succès.

Left with severe multiple injuries by a terrible car accident at age 19, Melody Gardot owes her salvation to music, and jazz in particular. Her first songs were written from a hospital bed. Three years later, the sensual voice of this young American artist conquered the audience in Théâtre du Nouveau Monde. Gardot sings a cool pop-jazz tinged with folk, touching her audience with her warm, meaningful lyrics. She's on the road again, to success.

2008, Théâtre du Nouveau Monde

Coral **Egan**

2008, Loges du Théâtre du Nouveau Monde

À quelques minutes de sa prestation au Théâtre du Nouveau Monde, en 2008, Coral Egan exécute quelques exercices d'étirement. La chanteuse n'en est pas à sa première participation au Festival. À 11 ans, elle accompagnait déjà sa mère, Karen Young, sur la scène du Festival. À l'instar de Melody Gardot, Coral Egan est une vraie étoile montante qui éblouit déjà !

Just minutes before her performance in Théâtre du Nouveau Monde in 2008, Coral Egan performs some stretching exercises. The singer is no stranger to the Festival. At age 11, she accompanied her mother, Karen Young, onto a Festival stage. Like Melody Gardot, Coral Egan is a genuine rising star already bedazzling the jazz audience!

1
2
5
6
10
11
CHAMPION
TFB

1-2 Girl Talk, 2007, Club Soda **3- Ghislain Poirier, 2008**, Club Soda **4- Public Ennemy, 2008**, Métropolis **5- Mr Scruff, 2006**, Club Soda **6- K-OS, 2005**, Métropolis **7- Bran Van 3000, 2008**, Site du Festival **8- De la Soul, 2008**, Métropolis **9- Vive la fête, 2008**, Club Soda **10- Yoav, 2008**, Pavillon **11- Misteur Valaire, 2008**, Club Soda **12- DJ Maüs, 2005**, Club Soda **13- Amon Tobin, 2007**, Métropolis **14- Brazilian Girls, 2005**, Club Soda

Sean Lennon, 2007
Spectrum de Montréal

Daniel Lanois, 2005
Métropolis

Dolores O'Riordan, 2007
Métropolis

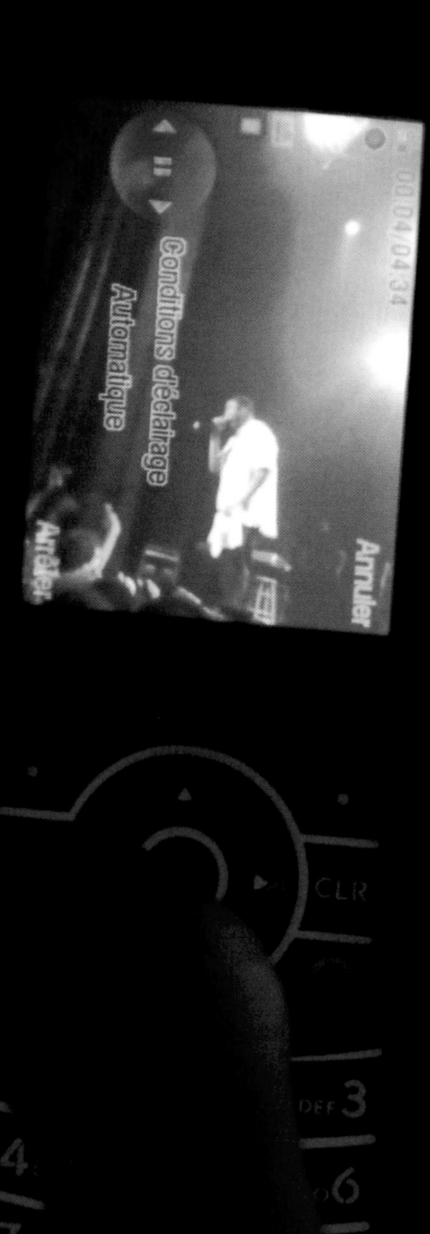

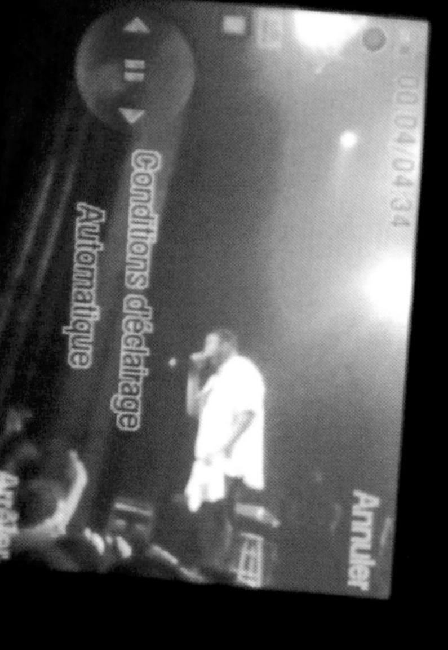
Conditions d'éclairage
Automatique
Annuler

CLR

METRO

2 JUIL LADYTRO

3 GZA-RZA

4 DANIEL LANOIS

5 LEE SCRATCH PERRY

THE WAILERS

Crédits **photographes**

Photographer *credits*

Crédits couverture
Jean-François Leblanc (ciel), Victor Diaz Laminch (foule)

Denis Alix
pages 16, 22, 24, 29, 33, 34, 35, 36, 39, 41, 42 (1987), 45, 46, 47, 48, 49, 50, 51, 52 (1986), 58, 60 (2006), 62-63, 64, 65, 67 (1997), 74-75, 78, 79, 82 (Nadon), 84 (1992), 85 (2001), 86 (Brecker), 87, 88-89, 91, 94, 95, 96, 98, 100 (1992), 102 (2005), 108, 110, 111 (1993, 2007), 112 (1988), 113 (1988), 116, 122, 124 (11), 129, 133 (Cullum), 134, 136 (11)

Victor Diaz Lamich
pages 10-11 13, 14, 23, 30, 31 (2008), 37, 40 (2004), 42 (2005-bas) 55, 56, 57, 67 (2003), 70, 71, 84 (2004), 92 (2007), 93, 97, 99 (Cook), 104, 105, 106-107, 109, 112 (2004), 113 (2004), 117, 120 (Bet.E), 121 (Moffatt), 122, 124-125 (3-5-7-8-12), 127, 130 (2007), 131, 132, 135, 136-137 (1-2-3-4-5-6-8-10-12-14), 139, 140, 141, 142, 143, 144

Jean-François Leblanc
pages 8-9, 12, 31 (1989), 32, 38, 40 (1995), 42 (2005-haut), 44, 52 (1988), 54, 59, 60 (1994), 61, 66 (1994), 70 (bas-droite), 80, 81, 83, 85 (2004), 86 (Grappelli), 92 (1997), 99 (Truffaz), 101, 103, 104 (acrobates bleus), 109, 114, 118, 119, 120 (Skye), 121 (Lhasa), 122, 123, 124-125 (1-2-4-6-9-10) 126, 128, 133 (Gilberto), 137 (7-9-13), 138

Robert Etchevery
pages 4-5, 6-7, 25, 27, 42 (arrière-plan), 53, 76

Caroline Hayeur
pages 26, 40 (1997), 68, 69, 115, 125 (13), 130 (2001)

Rodolphe Noël
page 66 (1995)

Marlène Gélineau-Payette
page 111 (2001)

Martin Roy
pages 2-3

Linda Rutenberg
page 102 (1994)

Jan Thijs
pages 43, 82 (Primeau), 100 (1989)

Marie-Hélène Tremblay
page 15